INNOVATRIX

Clemente Nobrega & Adriano R. de Lima

INNOVATRIX

INOVAÇÃO PARA NÃO GÊNIOS

DOIS FÍSICOS EXPLICAM O MÉTODO PARA INOVAR AO ALCANCE DE QUALQUER EMPRESA

A

Negócios

Produção editorial
Daniele Cajueiro
Janaína Senna

Revisão
Maria Cristina Jeronimo
Taynée Mendes

Diagramação
Trio Studio

Capa
Julio Moreira

O trecho que aparece nas páginas 102 e 103, extraído do livro *O mundo é plano: uma breve história do século XXI*, de Thomas Friedmann, com tradução de Cristiana Serra, Sergio Duarte e Bruno Casotti, foi gentilmente cedido pela Editora Objetiva Ltda.

CIP-BRASIL. CATALOGAÇÃO NA FONTE
SINDICATO NACIONAL DOS EDITORES DE LIVROS, RJ

N674I Nobrega, Clemente
Innovatrix / Clemente Nobrega e Adriano R. de Lima. -
Rio de Janeiro : Agir, 2010.

ISBN 978-85-220-1143-8

1. Innovatrix. 2. Administração de empresas. 3. Desenvolvimento organizacional. 4. Produtividade. 5. Sucesso. I. Lima, Adriano. II. Título.

CDD: 658.4063
CDU: 658.011.4

Texto estabelecido segundo o Acordo Ortográfico da Língua Portuguesa de 1990, em vigor no Brasil desde 2009.

Agir negócios é um selo da Editora Nova Fronteira Participações
Rua Nova Jerusalém, 345 - Bonsucesso
Rio de Janeiro - RJ - CEP 21042-235
Tel.: (21) 3882-8200 - Fax: (21) 3882-8212/8313
www.ediouro.com.br

Sobre *Em busca da empresa quântica*:

"Este é um livro importante, um livro de negócios baseado em ciência, não mais um livro de literatura New Age. Ao contrário, o autor trava um combate há muito necessário, não só contra o *nonsense* usual em *management* como também contra todas as panaceias da literatura atual sobre administração."

Claus Möller (presidente, Time Manager International, Dinamarca, a empresa nº. 1 do mundo em treinamento de executivos de todos os níveis.)

"Clemente Nobrega usou sua experiência como físico e como executivo de marketing muito bem-sucedido para transpor para o campo dos negócios as lições aprendidas no domínio da ciência. Este livro é uma ferramenta valiosa para os executivos responsáveis pelas decisões estratégicas mais importantes de suas empresas."

John Sculley (CEO, Sculley Brothers, Nova York. Ex-CEO, Pepsi Cola e Apple Computers.)

"Clemente Nobrega nos traz novos e profundos conceitos do mundo da física quântica, que vão dar outra forma às ideias que você tem da empresa, do mercado e da administração. Ele abre um caminho novo no terreno das ideias sobre o mundo dos negócios. Para aqueles que querem levar suas empresas com sucesso para dentro do século XXI, este é um livro que vale muito a pena ser lido e relido."

Regis McKenna (presidente, Regis McKenna Inc., Califórnia. Autor de *Marketing de relacionamento*. "Um dos maiores especialistas em marketing da América", segundo o *New York Times*.)

"Primeiro, o computador revoluciona o marketing, depois a internet revoluciona a comunicação, e, agora, Clemente Nobrega mostra como a Nova Ciência vai revolucionar a administração de empresas. Se você quer saber como vencer a competição num tempo de mudanças e incertezas desconcertantes, leia este livro de capa a capa."

Stan Rapp (presidente, Cross Rapp Associates, Nova York. Coautor de *Maximarketing*, a *Quinta geração do marketing* e *Maximarketing — os vencedores*.)

"O dr. Nobrega tenta e consegue executar uma tarefa ambiciosa. Ele traça um paralelo entre o desenvolvimento do pensamento contemporâneo em ciência e em *business*... e produz uma leitura viva e interessante."

Ron Zemke (presidente, Performance Research Associates Inc., Minneapolis. Coautor de *Service America* e da série *Knock Your Socks Off Service*.)

"Interessante, provocante, cheio de *insights* e de leitura muito fácil e prazerosa. Clemente Nobrega nos traz um processo muito útil de pensamento que pode ajudar os líderes a entender onde estão nesse ambiente 'terceira-onda', e a descobrir como lidar com ele. Este livro deve ser lido por todos que pensam a administração e por todo administrador que pensa."

Karl Albrecht (presidente, Karl Albrecht Associates, Califórnia. Autor de *Programando o futuro* e coautor de *Service America*.)

Sobre outros livros:

"Clemente Nobrega rompe a visão convencional e mostra com clareza a evolução da mente sob a ótica de marketing. Pensador consagrado por suas obras anteriores, Clemente Nobrega agora nos instiga a crescer em direção à *Supermente* em que a criatividade se instala e se revela natural e insistentemente. Este livro pode influenciar como você pratica marketing, como você encara seu negócio e como você vive sua vida."

Paul Campbell Dinsmore (PMI — Project Management Institute, presidente e fundador da Disnmore Associates.)

"Num país em que boa parte da literatura de administração produzida localmente é de obras requentadas e maçantes, os livros de Clemente Nobrega, como este — cujos originais tive o prazer de ler no final de 2003 —, se destacam pela originalidade na forma, poderoso conteúdo analítico e didatismo ilustrado com exemplos que mesclam ciência, história dos negócios, um bocado de erudição e a indispensável temperatura jornalística."

Nelson Blecher (*publisher* da *Época Negócios* e coautor de *O império das marcas*, falando sobre *A ciência da gestão*.)

"Conheço Clemente Nobrega há mais de 15 anos. E nunca me aconteceu de ler algo escrito por ele, ou de trocar ideias com ele, sem deparar com ao menos um conceito capaz de me levar a questionar alguma certeza minha. Clemente tem o dom de me tirar da minha "zona de conforto" e, assim, tem me ajudado a evoluir, como pessoa e como profissional. *A ciência da gestão* é uma das coisas mais instigantes que ele já escreveu. Recomendo vivamente sua leitura a empresários, executivos, estudantes de administração, governantes e todo e qualquer ser pensante com algum interesse na administração de qualquer tipo de empreendimento ou organização (tenha, ou não, fins lucrativos)."

Marcelo Cherto (presidente do Grupo Cherto
e do Instituto Franchising.
Professor do MBA — Varejo da USP.)

"O livro de Clemente é um forte candidato a ser colocado na minha biblioteca de livros de administração e negócios na prateleira onde ficam 'minhas leituras perturbadoras', isto é, aquelas que me tornam insone, que me trazem torrentes de novos *insights*, que me sacodem para fora da letargia gerada pelos autores que se tornaram recitadores de mantras e exortações que nos ofendem a inteligência."

Ricardo Neves (autor de *Copo pela metade*,
falando sobre *A ciência da gestão*.)

A Darrell Mann, nosso mentor, pelo trabalho notável
que vem fazendo pela inovação sistemática no mundo inteiro.
Clemente e Adriano

À equipe da CN, minha consultoria e projeto de vida.
Clemente Nobrega

À minha esposa Thatiana e a meus filhos Leonardo e Gabriel,
pelo amor incondicional, carinho, apoio e compreensão
Adriano R. de Lima

Sumário

INNOVATRIX: um método para inovar sistematicamente

Nós dois, autores deste livro, somos físicos. Como físicos gostamos de explicações científicas para as coisas. Há alguns anos descobrimos um conjunto de ferramentas, conceitos e "molduras de pensamento" que nos deixaram fascinados. Descobrimos que era possível construir diretamente da ciência o conhecimento prático necessário para inovar nas empresas!

A história que nos motivou teve início há mais de 60 anos, mas só veio à tona no final dos anos 80, quando uma coleção notável de tecnologias começou a migrar dos escombros da antiga União Soviética para os Estados Unidos e a Europa. Havia muita coisa interessante vindo de lá, como concepções de máquinas, processos e materiais desconhecidos do resto do mundo. Uma das coisas mais interessantes a emergir nessa época era produto de décadas de pesquisas feitas desde os anos 40 por um engenheiro e cientista russo chamado Genrich Altshuller.

Altshuller queria descobrir como os inventores chegam às suas invenções. Queria decifrar as regras da "mente inovadora". Será que quem inova segue algum padrão ou suas descobertas são aleatórias? Para descobrir isso, mergulhou no estudo de dados contidos em centenas de milhares de registros de patentes. Examinou, catalogou e organizou a base de patentes que estudara de modo a identificar o *princípio inventivo* que estava por trás de cada uma. Descobriu algo incrível: a criação inventiva pode ser codificada em pouquíssimos princípios!

> A criatividade que conta para a invenção de coisas práticas pode ser ensinada!

Altshuller ficou tão empolgado que escreveu ao "camarada Stalin" explicando a mediocridade da União Soviética como inovadora, e oferecendo seu método para revolucionar a criatividade no país. Foi preso e condenado a 25 anos de prisão num *gulag*. A União Soviética não era propriamente um lugar que valorizasse criatividade prática. Ao sair, tinha vivido uma saga que mereceria virar filme. Aperfeiçoara seu método com outros cientistas presos e o ensinara a quem quisesse manter a mente alerta nos campos gelados da Sibéria.

Na prisão, Altshuller passou por uma série de episódios dos quais só saiu vivo porque utilizou os *princípios inventivos* que tinha descoberto.

A teoria que ele desenvolveu — TRIZ, que em russo significa Teoria para a Solução de Problemas Inventivos (Teória Rechénia Izobretátelskih Zadátchi) — por muitos anos ficou restrita apenas à União Soviética.

Em 1989, a Associação Russa para a TRIZ foi formada e Altshuller foi seu primeiro presidente. O império soviético já estava desmoronando, porém, e, nos anos seguintes, milhares de cientistas russos (muitos deles físicos e matemáticos) começaram a chegar aos Estados Unidos e à Europa com conhecimentos técnicos de primeira linha e muita vontade de ganhar dinheiro. Seu primeiro alvo foi o mercado financeiro, que os acolheu de braços abertos.

Centenas de cientistas russos passaram a contribuir com suas modelagens para os instrumentos de investimento de bancos e fundos de Wall Street. Colaboradores e ex-alunos de Altshuller também migraram nesta leva e a TRIZ começou, aos poucos, a chamar atenção de especialistas de vanguarda.

Hoje, a TRIZ, é amplamente usada por muitas das maiores empresas do mundo como GE, Boeing, Siemens. Na maior parte, empresas de engenharia.

O eixo central da TRIZ é a eliminação do que Altshuller chama de *contradição técnica* (por exemplo: querer um carro mais rápido e que também gaste menos combustível). Nas mais de 200.000 patentes estudadas por ele foram identificados 1.500 tipos de contradições assim. A eliminação dessas contradições é feita com o auxílio dos princípios que ele descobriu. Inovar, para Altshuller, era remover contradições técnicas.

Nosso método usa a mesma ideia: a chave para inovar no mundo empresarial é a remoção das contradições que limitam e impedem a geração de riqueza nova nas organizações.

> Não é só no mundo dos artefatos de engenharia que eliminar contradições é a chave para inovar, no mundo das organizações também é!

Pense em qualquer grande inovação de que você se lembre: o computador pessoal, o Cirque du Soleil, o iPod, as linhas aéreas de baixo custo como a SouthWest Airlines, a Toyota, o Walmart, a Nucor, as Casas Bahia... qualquer uma, de qualquer setor, de qualquer lugar eliminou (como você verá) uma contradição central que estava estabelecida na forma vigente de se fazer as coisas.

Não fomos os primeiros a notar que as ideias originais de Altshuller poderiam ser estendidas para fora do domínio dos artefatos tecnológicos. Destacamos o trabalho do engenheiro britânico, Darrell Mann, patrono e referência da nova disciplina chamada inovação sistemática, fortemente baseada na TRIZ, que se aplica tanto a problemas de engenharia quanto de negócios. Darrell Mann reconheceu nosso trabalho e nos dá a honra de endossar este livro.

Também usamos as abordagens de Anthony W. Ulwick, que criou o conceito de *Outcome Driven Innovation*, e as pesquisas de Clayton Christensen, professor de Harvard.

Com base nos ensinamentos deles (e, em menor grau, no trabalho de vários outros pesquisadores), nós dois fizemos contribuições originais à TRIZ, colocando nosso foco exclusivamente no mundo das organizações. Simplificamos, estendemos a aplicabilidade, adaptamos, combinamos diversas técnicas para criar um método mais adequado à inovação empresarial.

INNOVATRIX é isso.

INNOVATRIX é pragmático. Dá resultado. Produz soluções criativas a partir do uso de ferramentas simples baseadas em regras codificadas. Esse é o tema deste livro.

> Inovar é eliminar contradições usando princípios inventivos que norteiam a busca de uma solução.
> INNOVATRIX é o passo a passo que desenvolvemos para isso.

Prefácio

Vamos combinar logo: inovação é dinheiro novo.

Inovação pode ser praticada por qualquer um, não só por gênios criativos. Pode ser praticada por qualquer pessoa que se disponha a aprender os princípios e ferramentas que apresentaremos. O que veremos é fruto de anos de experiência como executivos e consultores de empresas de vários portes em vários setores. Também é fruto de nossa formação e experiência como físicos — ciência ajuda muito nesse negócio de "gerar dinheiro novo".

Muito poucas pessoas são naturalmente inovadoras.

Nossos cérebros não são naturalmente criativos. Pelo contrário — o que fazemos naturalmente é repetir o que nos ajudou na vida prática no passado. O que fica programado em nós são regras tipo "não ponha a mão no fogo, menino!", "olhe para os lados antes de atravessar a rua, garoto!". Nossa espécie não evoluiu por ser mais criativa e original, mas porque embutiu a superficialidade, o não rigor, em seu sistema nervoso.

Quem quer inovar tem de partir desta verdade e resolver a seguinte contradição: quero ser criativo, mas minha mente não é naturalmente criativa (porque sou humano e, na maior parte das situações cotidianas, é mais seguro não ser criativo).

Nossa inspiração é a mais científica das descobertas sobre o tema: criatividade pode ser capturada por ferramentas, e é possível codificar as práticas que levam a "dinheiro novo". Há princípios que norteiam a inovação empresarial da mesma forma que as "leis de Newton" norteiam a dinâmica do movimento.

Essa descoberta, fruto de pesquisas que Altshuller iniciou nos anos 1940, começa a repercutir fortemente no mundo das empresas.

INNOVATRIX, como método, contém um conjunto de truques para contornar os vieses do nosso cérebro pouco inovador. Truques para nos obrigar a pensar direito.

Introdução:
Inovação não é arte, é método

Altshuller descobriu que a criatividade pode ser sistematizada por meio das regras (algoritmos) utilizadas por pessoas inovadoras. Das patentes que estudou, extraiu o conjunto de *princípios inventivos* (ele trabalhava em um escritório de patentes como Einstein) que veremos adiante.

Um *princípio inventivo* é uma das "operações" que um inventor aplica para resolver o "problema" que dá origem a uma "invenção".

Dominar esse conjunto de princípios inventivos poderia tornar qualquer pessoa um grande inventor. O que ele descobriu é notável. Foi o seguinte:

Soluções originais são raríssimas.
Um problema semelhante ao seu já foi resolvido por alguém. Descubra o que norteou a solução que esse alguém encontrou e você terá um norte para resolver o seu problema.

Ei, que ruído é esse? Será você resmungando, leitor?

... estão transformando criatividade em algo mecânico, mas criatividade não pode ser enquadrada. A genialidade do artista nunca poderá ser capturada em fórmulas.

Você está certo, não estamos falando de arte. Arte não tem função prática. Inovação não é arte. O mundo empresarial não tem nada a ver com arte porque empresas têm uma função (ganhar mais do que gastam, vejam adiante). Nós adoramos arte (nossas esposas são artistas), mas não é de arte que estamos falando.

Se você examinar os problemas que a humanidade já resolveu, vai notar que um problema análogo àquele com o qual você se defronta hoje já foi resolvido por alguém, em algum momento, em algum lugar.

Há pouquíssima invenção realmente original. Um pequeno número de princípios orienta a solução de praticamente qualquer problema de inovação, independentemente do setor em que você atue. As soluções mais fortes, muitas vezes, são contraintuitivas, pois tiram partido de coisas "ruins" ou negativas, presentes no sistema. Tudo isso ficará bem claro adiante.

Inovar é fazer conexões

Pense nas três leis de Newton[1]. Qualquer problema de mecânica se equaciona a partir delas. Depois, é só usar ferramentas adequadas que você constrói pontes, ou catedrais ou foguetes.

Qualquer problema de eletricidade/magnetismo se resolve a partir das quatro equações de Maxwel. É só usar as ferramentas certas que você ilumina um país, ou faz um motor funcionar.

Einstein usou estruturas matemáticas para formular uma teoria concreta — estruturas abstratas que se conectam a coisas do mundo real.

A física quântica faz precisamente a mesma coisa.

A física de vanguarda hoje — que busca unificar tudo numa grande teoria — orienta sua procura da mesma maneira — *busca de conexões.* Coisas abstratas que se conectam a coisas concretas.

Arquimedes estava numa banheira quando descobriu o princípio que buscava para responder a uma demanda do rei. Era o mesmo princípio que fizera a água da banheira transbordar quando ele entrou nela (o rei queria saber se sua coroa era mesmo de ouro maciço

[1] **Primeira lei de Newton ou princípio da inércia**: Um corpo que esteja em movimento ou em repouso, tende a manter seu estado inicial; **Segunda lei de Newton ou princípio fundamental da mecânica**: A resultante das forças que agem num corpo é igual ao produto de sua massa pela aceleração adquirida; **Terceira lei de Newton ou lei da ação e reação**: Para toda força aplicada, existe outra de mesmo módulo, mesma direção e sentido oposto.

ou se o tinham enganado, e tinham enganado o cara). Arquimedes não tirou sua descoberta do nada, ele era projetista de navios e tinha conhecimentos, digamos, subconscientes das correlações que vieram à sua mente quando ele estava na banheira. Ele fez conexões entre situações diversas para chegar a uma resposta.

> INNOVATRIX é um método para fazer emergir de forma deliberada, as conexões criativas necessárias a produzir inovação empresarial.

Vejam essa pérola de um famoso guru internacional (Gary Hamel, o mesmo que badalava a Enron, mas, "de repente", parou. Parou por quê, Mr. Hamel?). Ele nos exorta a nos tornarmos mais inovadores.

Você tem o olhar penetrante e límpido de um revolucionário? (...) Você pode, REALMENTE, ver uma oportunidade matadora (...)? Essa oportunidade é tão sedutora que você simplesmente não consegue virar-lhe as costas? Você é a voz da oportunidade em sua empresa? Você é o campeão do não convencional? Sabe como fecundar o solo árido da ignorância (...)?

Olhar penetrante e límpido? Frescura.

Não temos olhar penetrante, não. Inovação não tem a ver com isso. Aliás, nem arte tem a ver com isso.

Criatividade não tem a ver com "olhares".

A criatividade que conta para a inovação tem disciplina e método. A Toyota não é somente criativa, é disciplinada (os sérios problemas que a empresa enfrentava no início de 2010, quando escrevemos, não desqualificam sua história. Apontam, isto sim, para a necessidade de rever seus processos de governança, mas isso já é outra história).

A Apple, desde sua fundação, sempre fora apenas criativa, mas quebrou em 1996 e só decolou de novo quando somou disciplina à criatividade.

Neste livro vamos examinar muitos casos de empresas e líderes inovadores, e você vai ver como, sem exceção, todos podem ser explicados por meio de regras práticas que, aplicadas de forma sistemática, transformam qualquer um em inovador. Você não precisa ser Isaac Newton para usar as leis de Newton. Não precisa da genialidade de Altshuller para usar as "leis" da inovação que ele descobriu. Essa é a ideia.

Aprender novos comportamentos é difícil porque o cérebro é preguiçoso, mas podemos contornar a preguiça e criar usando ferramentas. Ser criativo para nós é criar contornando as tendências naturais do cérebro por meio de ferramentas simples. É pensar deliberadamente num rumo, não ficar esperando uma iluminação.

> Afirmamos que é possível transformar pessoas (grupos) e, consequentemente, empresas, em inovadores consistentes através de procedimentos metódicos, passo a passo.

A criatividade que conta no mundo empresarial difere da do artista porque precisa gerar resultado mensurável em dinheiro. Dinheiro novo. Eficiência, produtividade, ocupação de mercado etc.

Inovação representa hoje o que "qualidade" representava há 20 anos: é a condição para ficar no jogo. Em muitos setores de negócio já não basta operar com eficiência, é preciso descobrir, sistematicamente, fontes novas de geração de valor (dinheiro). Inovação é isso.

Qualidade Total — o mantra das empresas para liberar dinheiro novo a partir dos anos 80 — é método + ferramentas. Qualquer um pode aprender e praticar, não precisa ser gênio. Mas diga-nos: o que você usa para inventar uma solução original — uma inovação de valor — em sua empresa? Quais as ferramentas da inovação (o equivalente, por exemplo, ao Diagrama de Pareto ou ao da Espinha de Peixe da Qualidade Total)?

Não há. O que há é muita exortação boba tipo "brilho no olhar", "seja criativo!", "pense fora da caixa!", "jornadas da inovação". Ou então, *brainstormings* caóticos que só funcionam quando Deus ajuda.

Pesquisamos isso há anos e estamos certos de que chegou a hora da inovação sistemática. Método e ferramentas para "não gênios" inovarem. Ainda não está nas manchetes, mas empresas como Hitachi, Boeing, Motorola, Procter & Gamble, Philips, Samsung, Siemens estão usando.

Capítulo 1
A inovação que conta

1.1 Inovar é eliminar contradições

Em 1948, Altshuller começou o estudo intensivo de patentes ao qual nos referimos, investigando cerca de 200 mil (seus seguidores chegaram perto de 3 milhões). Se o Google fosse uma pessoa, seu nome seria Altshuller. Ele notou que inovação sempre resolve uma "contradição" — você precisa ter uma coisa, mas não quer ter aquela coisa.

Exemplo: para escapar da atração da Terra, um foguete tem que ter muito combustível para queimar, mas não pode ter muito combustível, pois fica pesado demais e não escapa. Solução: descarte os tanques assim que ficarem vazios (esse é o princípio inventivo número 34 — DESCARTE OU RECUPERE) — veja a tabela completa de princípios inventivos no anexo).[2]

Há pouquíssima invenção original (menos de 1%).

A maioria esmagadora deriva de invenções anteriores que já estavam aí.

Clemente escreveu em sua coluna na *Época Negócios* de fevereiro de 2010:

> *Se o novo vem sempre do conhecido, poderíamos "fabricar" inovação se houvesse um método para recombinar as ideias existentes na base de conhecimento. Isso está acontecendo. Descobrir regras para fazer rearranjos criativos de forma consciente e deliberada é a tarefa que a nascente disciplina da inovação sistemática se propõe realizar. Olha só: há 10 mil anos, o PIB do mundo era zero. Então, uma tecnologia — a agricultura — habilitou o processo de geração de riqueza. A agricultura*

---

[2] O número de identificação do princípio inventivo segue uma convenção aceita internacionalmente pelos pesquisadores da inovação sistemática.

veio de elementos que já existiam na paisagem dos humanos da época (terra, plantas, animais) e possibilitou uma explosão de novos arranjos. O PIB passou de zero ao que é hoje graças ao rearranjo de coisas existentes. O microchip é feito de sílica — areia da praia. O microchip é areia rearranjada. A matéria-prima desses "rearranjos" não são novos materiais, nem pessoas especiais, nem novos processos fabris. São processos mentais: ideias canalizadas na direção certa.

Ideias que são canalizadas via *princípios inventivos.*

E, acredite, a evidência diz que os mesmos *princípios inventivos* usados no design de artefatos tecnológicos valem para inovação empresarial também, e que é possível antecipar a tendência geral da evolução dos sistemas empresariais. Existem "leis de Newton da inovação", sim senhor!

Lembre-se que Henry Ford criou a linha de montagem inspirado numa operação de corte de gado (carcaças se movendo, cortadores fixos). Isaac Newton (dizem) conectou mentalmente a queda de uma maçã ao movimento da Terra em torno do Sol. Quase nunca se cria algo do nada, a criação é sempre em cima de algo que já estava lá. Esse algo pode ser um conceito ou uma "coisa", mas ninguém cria nada do nada.

Pense na contradição que o Cirque du Soleil resolveu: "arte de alto nível, sem artistas de alto nível." Ou a Casas Bahia: "gente sem dinheiro pagando em dia." Fomos olhar as empresas citadas no livro *A estratégia do oceano azul*, de W. Chan Kim e Renée Mauborgne (2005), e muitas outras. Todas elas, sem saber, resolveram contradições via princípios inventivos catalogados por Altshuller.

Como toda boa teoria científica o método é bom em "prever o passado". Acreditamos que ele permite construir o futuro também.

Adiante você verá como.

1.2 Inovação é dinheiro novo

Tem gente que não gosta dessa maneira de falar. Acha que "dinheiro", por alguma razão, soa mal. Prefere falar em "geração de valor econômico agregado" ou "captura de ganhos marginais de produtividade" etc. Mas todas essas fórmulas discursivas significam exatamente isso: dinheiro.

Inovação tem sempre a ver com dinheiro, não com qualquer outra coisa.

Inovação é multifacetada e pode se manifestar de várias maneiras.

Basicamente: novos produtos, novos processos e novas concepções de negócio. Ela tem duas características principais:

Tem que gerar dinheiro. Se não dá dinheiro não é inovação, é apenas novidade, e novidade é irrelevante em negócios.

Tem que representar uma "quebra do molde" até então estabelecido.

Tecnicamente INNOVATRIX chama "quebra do molde" de "solução de uma contradição".

Por exemplo, a Casas Bahia, ao dar crédito sem garantias, quebrou o molde dos processos estabelecidos no varejo e virou a maior de todas as inovações brasileiras.

A IBM, pós Lou Gerstner — o executivo que liderou a reinvenção da empresa no início dos anos 1990 — é uma empresa muito diferente da que era antes. O dinheiro novo veio de um novo molde: mais serviços, menos hardware.

O McDonald's quebrou o molde por meio do qual se produzia e vendia hambúrgueres em lanchonetes, criando um molde novo a que se chama *fast food*.

"Dinheiro novo" é dinheiro oriundo de um molde diferente.

Às vezes, a "quebra do molde" vem de produtos (iPod, Prozac etc.), ou de um material novo (o Nylon fez a riqueza da Du Pont). Nesse caso, a "quebra" é uma invenção tecnológica.

Já as empresas de sucesso na internet — Google, Amazon etc. — são invenções de novos conceitos de negócio. Moldes novos construídos em cima da infraestrutura que a internet propicia.

É aqui que surge nosso maior problema.

1.3 Abaixo a noção voyeurística de inovação!

Tendemos a só valorizar inovações tipo "produto revolucionário", mas isso é coisa para poucos e é raro. Por agirmos assim, desprezamos (por serem menos charmosos) outros tipos de inovação que podem gerar dinheiro novo para muitos.

En passant: mesmo o sucesso de um "produto genial" como o iPod não veio da genialidade do produto em si. Veio, como vamos ver, do *modelo de negócios* do qual esse produto é o epicentro. Sem o arranjo que está em volta, o iPod seria apenas mais um. Aliás, *inovação em modelo de negócios* é uma tremenda forma de inovação. O INNOVATRIX traz contribuições importantes para isso.

Voltando: o problema com a "visão épica" de inovação é que ela não serve a propósito prático algum.

Somos românticos. Adoramos aquela imagem de inventores hipercriativos trabalhando em garagens ou laboratórios, isolados do mundo e produzindo artefatos (o PC) ou conceitos de negócio (Google) geniais. Pensamos (erradamente) que indústrias como a farmacêutica, que vivem da criação contínua de novos produtos, são confrarias de cientistas malucos em laboratórios, tentando produzir novidades a seu bel-prazer e criando Viagras e Prozacs graças a algum talento especial.

Esqueça esse negócio de inovação romântica, garagens etc. É charmoso, mas não vai levar você a lugar nenhum.

Inovação é um processo que pode ser sistematizado.

> Para ter valor, a inovação tem que ser sistematizada. Tem que ser um processo.

A noção voyeurística de inovação — algo a ser admirado em outros e não a ser praticado por nós — é terrivelmente prejudicial.

Não é isso que devia nos seduzir. Tornar-se empreendedor de sucesso já não é para todo mundo, ser inovador daqueles "que-inventam-um-produto-genial-que-o-mundo-inteiro-corre-para-comprar" é para menos gente ainda.

Provavelmente não é para você leitor.

Não se ofenda, mas se você está lendo este livro, é provável que não seja genial o suficiente. Se você fosse genial para, digamos, inventar um remédio que transformasse carecas em cabeludos em 24 horas, não estaria perdendo seu tempo conosco. Estaria em sua garagem (transformada em laboratório) cercado por tubos de ensaio, envolto em densas névoas de criatividade, produzindo amostras de sua invenção e imaginando os milhões que ganharia.

Não é nada pessoal. É estatística.

A pessoa média é média, não genial. O pintor médio não é Van Gogh, é médio. O cientista médio não é Einstein, é médio. Steve Jobs não é representativo do "inovador médio".

É claro que em qualquer população grande há os "fora da média".

Numa grande população de compradores de bilhetes de loteria, é certo que alguém vai ganhar, só que provavelmente não vai ser você.

Não queremos desmotivá-lo, mas é muito mais inteligente aceitar que não somos gênios, e tirar partido disso. A vantagem é que, ao fazê-lo, nos colocamos numa posição ótima para o que realmente conta neste nosso contexto: gerar bastante dinheiro novo. Inovar sem ser gênio!

1.4 Não existem pessoas especiais

A pergunta mais repetida nos livros de negócios é: "por que empresas que um dia foram bacanas acabam perdendo a relevância?"

As respostas que são dadas não nos agradam.

Mitificam certos tipos de líder, ou "pessoas especiais", ou "empresas visionárias". Um dia foi a Enron, até que ficou claro que a empresa era uma fraude. Antes tinha sido a IBM e suas práticas humanistas com garantia vitalícia de emprego, por exemplo. Hoje, o Google é o tal e a Apple é a mais inovadora do mundo, mas em 1996 a empresa de Steve Jobs estava quebrada. A ressurreição da Apple, como veremos, se deveu, essencialmente, ao uso de um *princípio inventivo clássico* para resolver o tipo de contradição que a empresa vivia.

Você jamais nos verá badalando "empresas visionárias" ou "pessoas especiais".

O mundo empresarial é cheio de egos em busca de afirmação a qualquer preço. Não acreditamos que empresas ou indivíduos tenham algo a declarar sobre desempenho, acreditamos que formas de pensar e fazer é que têm.

Somos céticos sobre o "prazo de validade" de qualquer empresa. Empresas não foram "feitas para durar", as melhores são as que se transmutam não as que duram.

Não acreditamos em genialidade nem em exortações para "abrir cabeças". Às vezes, o que usam por aí para "abrir cabeças" nos dá a impressão de que elas (as cabeças dos proponentes) abriram tanto que seus cérebros escorregaram para fora.

Não acreditamos em nada disso. Acreditamos só em método e disciplina.

> Se você ficar ouvindo especialistas ficará doido. Vão confundi-lo, entoando todo tipo de mantra relacionado à criatividade. Vão exortar você a "pensar fora da caixa". Vão dizer que você tem de se "reinventar". Confrontarão você com exemplos de grandes inovadores do mundo dos negócios (Steve Jobs, Bill Gates, Henry Ford) só para não deixá-lo esquecer que você jamais será como eles. Pior de tudo: tentarão convencê-lo de que inovação é sobre o carisma de "pessoas especiais", ou que tem a ver com executivos que se inspiram em monges (ou algo assim, não lemos o livro), em pessoas espirituais como o Dalai Lama, em "líderes servidores" (também não lemos, sem chance).

Jack Welch, considerado o maior líder empresarial das últimas décadas, ao assumir a GE, fulminou 100 mil pessoas logo de cara. Foi chegando e detonando. Líder servidor? Não, líder exterminador. Mais adiante, com a organização nos trilhos, passou a ser mais sensível (mais "servidor", se você quiser). Então chamava seus subordinados e dizia "eu te amo" e, em seguida, mandava: "mas vou demiti-lo se sua performance não melhorar". Questão de DNA, talvez. Era a natureza do cara. Steve Jobs, herói da Apple, é insuportavelmente arrogante no trato pessoal e nunca foi bom gestor (desinteressado por custos), mas é insuperável quando se trata de liderar gente no processo de conceber e lançar produtos de alto conteúdo tecnológico. Para cada sucesso que você supõe ser baseado no atributo pessoal "X" de um líder, podemos citar outro líder de sucesso com o atributo oposto, "-X". Para cada Ghandi há um Stalin. Cada Dalai Lama tem seu Osama.

Dizemos que uma ferramenta é adequada se ela é a melhor que pode ser usada para gerar dinheiro novo nas circunstâncias da empresa em seu mercado. Como se descobre isso?

Em negócios, não existem nem ferramentas nem quaisquer atributos, atitudes, competências que alguém possa ter, que valham em todas as circunstâncias. Seria o mesmo que receitar aspirina para qualquer doença, porque contra a "sua enxaqueca ela é muito eficaz". Nenhuma disciplina digna desse nome funciona assim. Tudo o que é sério no mundo do conhecimento, é contextual: a "coisa certa" depende das circunstâncias de cada caso. Só em administração se receita aspirina para qualquer mal, porque, ao contrário do que ocorre com médicos, advogados ou engenheiros, jamais nos ensinam a decidir com base em circunstâncias. Se tivesse se formado sob a mesma filosofia que orienta a dos administradores, todas as construções de um determinado engenheiro teriam fundações de dois metros de profundidade "porque meu prédio tem e funciona muito bem". Pensar "circunstância" é algo maciçamente ausente do mundo da gestão. Ninguém nem sabe o que é. Preferimos perder tempo com vacuidades, ou com os carismáticos de plantão.

É uma pena, pois é exatamente a habilidade de pensar "circunstância" que torna você competente tanto para liderar como para inovar. Os dois temas estão ligados, sem liderança não se inova.

1.5 Cada empresa tem que construir suas próprias histórias de inovação

INNOVATRIX leva ao conceito geral de soluções inovadoras, mas não detalha as soluções. Por quê?

Porque, para isso é preciso um tipo de conhecimento que só tem quem está dentro da empresa. Quem conhece o detalhe do negócio de uma empresa são as pessoas da própria empresa, seus especialistas. Nosso método as habilita a resolver problemas de inovação, sistematicamente, com disciplina, mas são as pessoas da empresa que têm de "chutar em gol".

Uma das "entregas" mais importantes do INNOVATRIX é a construção das bases do que chamamos de "cultura empresarial inovadora". A CULTURA EMPRESARIAL se forma a partir dos hábitos que as pessoas adquirem ao trabalharem juntas. É o conjunto das "histórias" que essas pessoas contam sobre como resolveram (com sucesso) certos problemas no passado. Por isso, quando a empresa quer ir além da identificação de soluções inovadoras, e quer também construir cultura de inovação, o INNOVATRIX exige que as mesmas pessoas que participaram da descoberta das soluções implantem protótipos dessas soluções. Em paralelo, um programa de comunicação interna — apoiado pelas lideranças de topo da empresa e com a participação delas — divulga e promove as atividades que estão sendo realizadas, ou seja, cria novas histórias para serem contadas.

1.6 A ferramenta básica é a empresa em si

Uma empresa (qualquer uma) é um mecanismo que tem uma única finalidade: transformar certos *inputs* (talento, matérias-primas, ideias, tecnologias, processos de trabalho, dinheiro...) em *outputs* de mais valor. É só para isso que serve uma empresa.

Sua competência em fazer isso se mede em dinheiro. Se não sobra dinheiro depois que ela desconta seus custos do preço que cobra, é porque ela não está adicionando valor aos *inputs* que usa. Está destruindo valor. Não merece existir. Empresas só têm o direito de existir se ganham mais do que gastam.

> A antiga União Soviética tentava exportar tratores. Quem comprava, desmontava os tratores novos para usar as partes como peças de reposição. As peças valiam mais separadas do que juntas. O trator soviético destruía valor, não criava. Quando uma empresa não gera valor, os *inputs* que ela processa estão tendo melhor uso de outra forma. A sociedade não pode permitir isso, porque se uma empresa sobrevive sem gerar valor, está desperdiçando recursos (da sociedade). Está roubando de alguém. Lembra do que sua avó te ensinava? Roubar é errado.

1.7 Dinheiro (que sobra) é a métrica que indica se você está ou não gerando valor

Não se deixe confundir: lucro não é a finalidade da empresa — é sua justificativa moral.

Dinheiro é a métrica que revela se a empresa agrega valor aos *inputs* que usa. Valor é a finalidade, dinheiro é a métrica.

Um organismo que não tenha reservas de energia não dá conta das atividades que tem de realizar para continuar vivo. Se o organismo acumula esse "excesso" é porque foi competente em poupar mais energia do que gastou. Não morrer é a métrica que define essa competência. A maioria das espécies que um dia existiu (a esmagadora maioria), não existe mais. Idem para as empresas. Ficar vivo não é simples.

Gestão é o que se tem de fazer para ficar vivo de forma relevante. Não apenas ficar vivo de qualquer maneira; não apenas sobreviver. Já foi mais fácil. Hoje complicou porque não basta mais "tocar a bola para o lado" para continuar vivo (como foi possível fazer por décadas e décadas no passado). Por isso, gestão virou sinônimo de inovação. As causas dessa mudança são conhecidas de todos. Suas vítimas também são.

1.8 Há duas coisas a fazer se você quer ficar vivo

1. Convencer o mundo a pagar o que você precisa pelo *output* que produz (preço);
2. Gastar o menos que puder para produzir esse *output* (custo).

Preço é o mercado que determina. Você cobra e reza, mas é o mercado que decide se paga ou não.

Custo é você que determina. Depende de suas ações "dentro". Valor é preço menos custo. Repete aí: preço (-) custo!

Não adianta ter produto ruim produzido com custo baixo e vendido baratinho — o mercado desqualifica produtos *xing ling*.

Se você quer vender para muita gente, não adianta ter produto bom a custo proibitivo — o mercado vai te ignorar ("seu grã-fino metido a besta!")

Inovação e gestão tornaram-se sinônimos. Não há mais diferença nem entre os dois conceitos nem entre suas práticas.

Os cursos de "administração de empresas" deveriam se chamar cursos de "gestão da inovação empresarial" porque inovação é o que há.

Gestão antigamente era supervisão, mas ninguém precisa mais de supervisores. Supervisão é "tomar conta", uma noção esclerosada de épocas em que a fábrica era o símbolo de "trabalhar e produzir".

Hoje, trabalhar significa "ser produtivo". Agora, gestão é sobre formas de se gerar dinheiro novo continuamente.

Dinheiro velho, dinheiro de ontem, acaba rápido (não é sustentável), porque seus competidores também são bons. O que você faz, eles fazem; quem faz mais rápido ganha. Não há mais dinheiro estável, só dinheiro novo é dinheiro bom.

> Gestão é um termo que tem conotação estática na origem — lembra algo como manter o rumo de um barco. *Management*, em inglês, tem este significado. Hoje, gestão é: como gerar dinheiro novo. Não há mais um rumo certo a manter, ou melhor, o rumo certo é o que apontar para o dinheiro novo mais relevante. Inovação sustentável é gerar dinheiro novo continuamente. Inovação é gestão. Tem fabricante de cimento inovando. Tem empresas de varejo, de logística, de TI... Tem empresas de todos os setores.

1.9 O que significa ser sustentável mesmo?

Não vamos ensinar como tornar sua empresa eterna, vamos ajudá-lo a fazê-la ficar viva mais tempo que seu concorrente.

É isso que significa ser "sustentável": durar mais. Para ficar vivo, você não precisa correr mais que o tigre, precisa só correr mais rápido que o outro cara. O tigre pegará seu competidor, não você.

Ser sustentável para nós é inovar mais sistematicamente que seu concorrente. Nunca há garantia a priori que uma empresa conseguirá "ficar viva". Empresas não dependem só de seu esforço para isso, dependem do julgamento de "outros" também. São "outros" que validam sua existência. "Outros" pagam pelo que a empresa gera como *output*.

É por isso que a essência deste tema — gestão / inovação — é "resultado". Não é esforço. O que valida é o resultado e só ele. Não adianta você se esforçar. Se o mundo não o validar, você será apenas um perdedor esforçado.

Empresas são apostas: "eu tenho algo a oferecer ao mundo, e aposto que o mundo vai pagar mais do que eu gastei para produzir esse algo." Simples? Então vai lá e faz.

Empreendedores, gestores, gente de negócios, fazem apostas desse tipo o tempo todo. É sua profissão. Não é uma profissão fácil.

Apostas não são jogos de azar. Há técnicas que tornam algumas pessoas melhores do que outras nesse ofício a que chamamos gestão. Este livro é para quem quer aprender essas técnicas.

Esqueça Bill Gates, Steve Jobs, os caras do Google e os demais gênios. Nenhum tem nada de geral a ensinar. Só têm a ensinar as coisas que deram certo para eles, nas circunstâncias particulares de seus respectivos negócios. Nenhum representa a verdade absoluta de nada.

Gestão, no que tem de geral (no que tem de disciplina que pode ser ensinada e aprendida) é algo ao alcance de qualquer um.

1.10 O princípio da simetria

Os dois autores deste livro são físicos. Portanto, muito influenciados pelo modo de pensar da ciência.

Nossa primeira ferramenta — aquela que faz o diagnóstico inicial sobre a capacidade da empresa gerar valor — é baseada no princípio norteador que os físicos usam ao formular suas teorias — o *princípio da simetria*. Ele diz que as coisas na natureza têm de exibir harmonia entre os elementos que as constituem. Na maneira de descrever a natureza pela linguagem da ciência, as relações que buscamos têm que exibir certo equilíbrio, se não, não serão sustentáveis.

Elegância, simetria, equilíbrio, são características do que "funciona bem" no mundo real. Simetria tem a ver com isso.

Para uma empresa gerar valor ela tem de ter três elementos equilibrados em harmonia. São eles que estabelecem a simetria da empresa. São os seguintes:

- Aquilo que a empresa vende tem que estar em sintonia com "necessidades" de quem compra; ou seja, o mundo precisa querer aquilo que eu tenho para vender. Tem que perceber valor em minha oferta a ele. Este é o primeiro elemento: um mercado que pague pelo que eu tenho a oferecer.

- A maneira pela qual a empresa produz o que vende tem de garantir que o produto ou serviço esteja no lugar certo, na hora certa, pelo preço que o comprador possa pagar; ou seja, a empresa precisa ter RECURSOS e PROCESSOS adequados.
  Processos de trabalho são a forma de transformar os recursos disponíveis (gente, tecnologia, matérias-primas, conhecimento...) em *outputs* de mais valor .

- As pessoas da empresa têm que ter competência para desenhar, aperfeiçoar e operar os processos que produzem os produtos que, por sua vez, vão produzir um cliente satisfeito com o valor que está obtendo. Pessoas são o recurso mais importante. Não é muito *politicamente correto* falar assim, mas é isso que as pessoas são numa empresa: recursos. Sem competências humanas adequadas não há processos eficientes nem produtos de valor. Não há, portanto, ofertas de valor, mesmo que os demais recursos estejam lá.

Nossa experiência mostra que TODOS os problemas que uma empresa possa ter são originados na quebra de simetria — no desequilíbrio — entre essas três dimensões:

- Definição da oferta de valor: dimensão mercado (lá fora);
- Forma de produzir e entregar o valor: dimensão processos internos (dentro);
- Eficiência na produção do valor: dimensão competências (de pessoas).

O princípio da simetria exige que para que uma dimensão funcione bem as outras duas têm de estar bem alinhadas. Quer dizer:

- Para "mercado" funcionar, "processos" e "pessoas" têm que estar alinhados para sustentar "mercado".
- Para "processos" funcionar, "pessoas" e "mercado" têm que estar alinhados para sustentar "processos".
- Para "pessoas" funcionar, "mercado" e "processos" têm de estar alinhados para sustentar "pessoas";

Os casos, exemplos e ferramentas que vamos ver nos capítulos a seguir, são ilustrações práticas de como as simetrias definidas por cada um dos três itens definem a competência da empresa para inovar sustentavelmente. O que INNOVATRIX faz é pegar essas três dimensões e traduzi-las (por meio de ferramentas) em arranjos coerentes que chamamos de *modelos de negócio*. As maiores inovações que você conhece são em "modelos de negócio".

> Um modelo de negócio é a maneira como você organiza seus recursos, seus processos de trabalho, suas competências internas, para fornecer algo que o mercado queira comprar (e ganha dinheiro com isso!).

Inovação em modelo de negócio é o centro da contribuição do INNOVATRIX à TRIZ original.

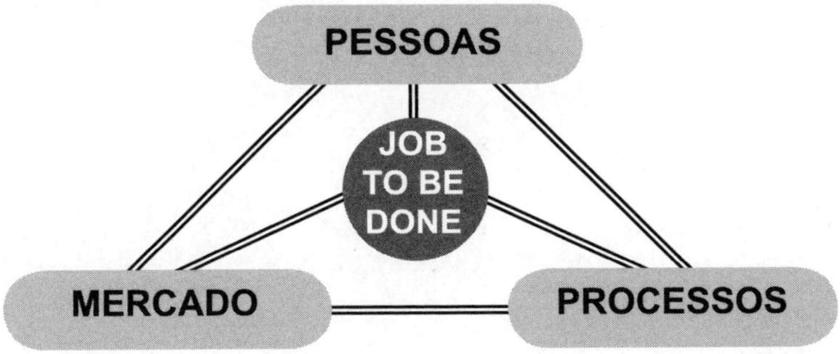

A simetria "mercado, processos, pessoas"
(JOB TO BE DONE é um conceito que será explicado adiante no livro)

Capítulo 2
O que é INNOVATRIX

2.1 A caixa de ferramentas da inovação

Altshuller, na TRIZ, catalogou 40 princípios inventivos cujo uso é o primeiro passo para a eliminação das contradições que geraram as grandes inovações em tecnologia.

No mundo empresarial talvez você não precise de tantos. Nossa pesquisa mostrou que 10 deles disparam caminhos de solução que dão conta de quase 80% das inovações que catalogamos (é o princípio de Pareto atuando). Mais adiante vamos examinar esses princípios e resumi-los.

Optamos por ir apresentando os *princípios inventivos* e as outras ferramentas do INNOVATRIX por meio de exemplos do seu uso, em vez de partir de uma lista dessas coisas.

Fizemos com inovação empresarial o que Altshuller fez com inovação em artefatos tecnológicos — catalogamos dezenas delas em modelos de negócios, produtos e processos. Da máquina fotográfica e linha de montagem da Ford no início do século XX, passando pelo rádio de pilha e McDonald's nos anos 50, até a Walmart, a Toyota, a Apple, o Google de nossos dias...

Sem esquecer da Casas Bahia, naturalmente. Escolhemos a maior das inovações brasileiras para trazer essas ideias para perto de nós, e vamos nos referir frequentemente ao seu caso para demonstrar vários aspectos da inovação sistemática (há outros casos mas, para nós, a Casas Bahia é a mais representativa inovação brasileira das últimas décadas).

Em seguida nos perguntamos para cada inovação dessas: "esta solução inovadora foi originada em algum dos 40 princípios que Altshuller descobriu?". Constatamos que sim.

> Inovação empresarial é uma construção. Tem que ter projeto e protótipo. INNOVATRIX é focado em método e ferramentas que levam as pessoas das empresas a resolverem os desafios com os quais se defrontam.

Construímos ferramentas que permitem a qualquer um identificar e aplicar os princípios inventivos que nortearão a solução do problema que tem pela frente. Chamamos essa "caixa de ferramentas" de *tool kit*. As ferramentas de Isaac Newton são suas leis traduzidas em equações, as nossas são um conjunto de práticas: dinâmicas, exercícios, aplicação de ferramentas. Mapas e *tool kit* para nortear o percurso.

2.2 INNOVATRIX — a ciência das circunstâncias

Líder é quem conduz uma organização num certo rumo; e liderança é essencial para inovação.

Capacidade de inovar nada tem a ver com carinho ou brutalidade, amor ou ódio, suavidade ou aspereza, materialismo ou espiritualidade. Em gestão, esses atributos pessoais genéricos não significam nada. Você pode, pessoalmente, ser qualquer coisa. Pode ser servidor ou exterminador; pode ter a disciplina do militar ou a exuberância do artista; pode se inspirar em monges contemplativos ou em guerreiros ninjas. Só o que conta é o resultado que você consegue nas circunstâncias em que a empresa está.

A única característica que conta para um líder é a habilidade de entender as circunstâncias e decidir o melhor a fazer naquelas circunstâncias. É por isso que o INNOVATRIX trabalha com as pessoas da empresa em posição de liderança.

O método as treina para identificar as circunstâncias dos problemas que enfrentam e usar as ferramentas certas para inovar. Tudo tem de ter ferramenta, senão você discute, discute, mas não age. Em gestão existe "conceituação" demais, blá-blá-blá demais, complicação desnecessária demais.

Por exemplo: qual é a diferença entre modelo de negócio e estratégia? Para nós não há, porque, para efeitos práticos, não há. Mas esse é um dos temas que mais se discute nas rodas "intelectuais" da gestão. Perda de tempo.

Discussão não produz resultado. Esforço, seriedade, boa intenção também não. O que produz resultado é um cliente lá fora pagando pelo produto que você produziu, e ele só pagará se perceber valor em sua oferta. Valor é preço menos custo.

Nosso *tool kit* de inovação sistemática possui ferramentas para você identificar valor manipulando os itens preço e custo. A segunda parte do livro a partir do capítulo 3 tratará exclusivamente disso. Tem a ver com o conceito de modelo de negócio — ou de estratégia se você preferir; dá no mesmo.

2.3 Para cada atividade uma ferramenta

O segredo é o uso da ferramenta adequada a cada tipo de problema, ou seja, adequada a cada circunstância.

"Ferramenta", para nós, é qualquer procedimento passo a passo. Algo que se possa usar fazendo o mínimo de julgamento subjetivo. Ou seja, sendo o menos "criativo" e o mais disciplinado possível. Pensando de forma deliberada para resolver o problema.

> Assim que nosso método adquiriu sua forma atual, percebemos que tínhamos conseguido, digamos, inovar em inovar. Tínhamos resolvido uma contradição básica: produzíramos um método que habilita as pessoas a serem o mais criativas possível e o mais disciplinadas possível ao mesmo tempo! Não é necessário separar disciplina de criatividade. É errado fazer isso.

Ferramenta pode ser uma "coisa" (uma câmara digital, por exemplo), mas pode ser também um conjunto de regras, uma matriz que se usa, um diagrama cujas lacunas se preenche, uma planilha, uma dinâmica de grupo em que se exercita certa sequência de operações.

O processo de descoberta de soluções inventivas (inovadoras) pode ser capturado por ferramentas como essas exatamente como uma câmara digital embute tudo o que é necessário para que pessoas comuns tirem boas fotos.

Muita atenção: o nível de julgamento subjetivo que o uso de uma ferramenta requer depende do problema que você está tratando. Depende das circunstâncias particulares de cada caso.

Às vezes, não é necessário nenhum tipo de avaliação, a ferramenta diz inequivocamente o que está acontecendo e o que fazer. Outras vezes não é assim.

Por exemplo, pense num problema relacionado a diagnóstico médico. Há coisas que você diagnostica sozinho, não precisa especialista: "pingue três gotas dessa substância em sua urina, se ficar azul, você está grávida".

Esse diagnóstico era terrivelmente complicado há poucas décadas. A inovação fez com que migrasse para uma ferramenta que qualquer um pode manusear sem treinamento. O mesmo aconteceu em muitas outras áreas.

Fotografar era coisa para especialista, hoje qualquer pessoa fotografa. O saber sempre migra para a ferramenta. Por exemplo, um dos componentes do *tool kit* do INNOVATRIX identifica o estágio em que o sistema (produto/empresa) está, e ajuda a construir a solução do problema de inovação com base na tendência de evolução desse sistema. Se você é *commodity* vai ter de inovar fornecendo "bens". Se é um "bem" terá de prestar "serviço". Se é "serviço" terá de fornecer "experiências". Essa é uma das tendências que norteiam a evolução dos sistemas empresariais. Notou como todo mundo está abrindo "lojas conceito"? Havaianas, Nike, Apple... Não depende do setor. É inovação via "experiência de compra", uma tendência de evolução clara em muitos segmentos do varejo.

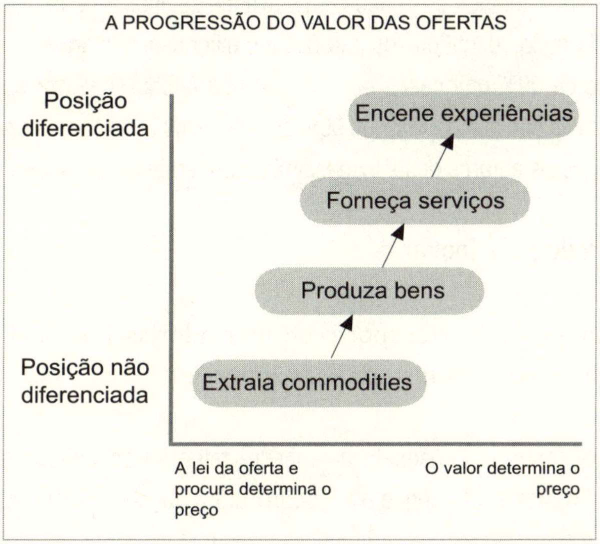

Considere agora outra condição médica: se você está sempre com sede, urina muito, está perdendo peso e sua visão está embaçada, é quase certo que tenha diabetes. Um profissional experiente, acostumado a identificar os padrões que caracterizam essa condição, fará um diagnóstico rapidinho. Não precisa nem ser médico, uma enfermeira experiente faz isso, porque já viu os mesmos elementos muitas e muitas vezes. "Vamos fazer alguns testes, mas é diabetes."

Porém, se você tem uma complicação neurológica / psiquiátrica, ou está numa situação de alta complexidade (ataque cardíaco que se manifesta junto com complicações sistêmicas, pulmonares, circulatórias etc.) tem que ficar experimentando terapias alternativas até acertar. Tem que ficar mudando a medicação. Tem que pedir opiniões de outros especialistas. É mais caro e dispendioso. É interativo. Tentativa e erro. Esses casos não catalogados exigem um tipo de especialista mais raro, mais experiente e mais caro. Ainda assim a solução é incerta e não se pode dar garantia de cura. Problemas desarticulados pedem profissionais especiais (advogados especializados, médicos idem, agências de propaganda muito criativas, consultores para assuntos fora do padrão).

A enorme maioria dos casos em inovação se enquadra na categoria do meio. Identifique os padrões e o diagnóstico ficará evidente. Mais de 99% dos casos de inovação que Altshuller examinou via patentes são assim. Mais de 99% dos casos de inovação empresarial que os autores deste livro examinaram também são assim!

2.4 O método para inovar

Uma empresa de transporte de mercadorias por navio buscava mais produtividade. A história é a seguinte[3]:

Há 50 anos um magnata americano, reforçou os conveses do Ideal-X, um navio-tanque que sobrevivera à Segunda Guerra Mundial e o carregou com 58 grandes caixas metálicas cheias de mercadorias que, normalmente, viajariam como carga solta. Nascia o contêiner de expedição. O ideal-X navegou de Newark a Houston, onde as caixas foram descarregadas diretamente para caminhões e seguiram para seus destinos finais. Em 1956, o duríssimo trabalho de carregar nas costas carga para um navio custava US$ 5,83 por tonelada. O carregamento do ideal-X custava menos de US$ 0,16 a tonelada. Alguém aí falou em dinheiro novo? A conteinerização reduziu dramaticamente o custo de levar produtos de um lugar o outro. A indústria de contêineres está em crescimento hoje (globalização, claro). Portos gigantes como Hong Kong, Cingapura e Los Angeles, florescem graças a equipamentos de carregamento rápido. Os navios estão ficando cada vez maiores. Alguns agora transportam aproximadamente 9 mil contêineres, e há planos para navios que transportarão o dobro. Cada supercargueiro desses necessitaria de uma fila de caminhões de quase 100 km para transportar todos os contêineres que levam.

---

[3] Texto adaptado de *The Economist*.

Qual o problema que o contêiner resolveu e como foi resolvido?

Um *problema de inovação* é um *gap*, uma lacuna, entre a situação atual e um estado idealizado a que queremos chegar. Lacunas existem porque não se consegue eliminá-las por alguma razão. O INNOVATRIX diz que essas razões sempre podem ser desafiadas. Hábitos mentais, inércia psicológica, bloqueiam as soluções criativas. Isso é humano, todos somos assim.

> Por exemplo: nos anos 80 os japoneses faziam uma devastação em mercados antes dominados por produtos americanos. A mentalidade dominante era: "é normal que certo percentual de carros saia com defeitos da fábrica. Defeitos são "algo intrínseco ao processo de se fabricar carros." Pura inércia psicológica. A mentalidade japonesa de produção rejeitava isso. Todo defeito tem de ter uma causa. Procure a causa, elimine-a e você reduz os defeitos a zero. Não há nada intrínseco que obrigue a produzir coisas com defeito. É desleixo. É falta de gestão.
>
> Muito simplificadamente, o que a revolução da qualidade fez foi trazer método e ferramentas para eliminar ineficiências operacionais como essa. Coisas simples, nada sofisticadas, mas extremamente efetivas. Nada a ver com estratégia ou coisas mirabolantes. Estratégia é coisa para poucos numa empresa, mas produção eficiente depende da galera. Treine os líderes para que eles trabalhem a galera.

Na mesma época — virada dos anos 80 para os 90 (Collor) — o Brasil começava a se abrir para o mundo. Nossas maiores empresas, que nunca tinham tido presença internacional, tiveram de se expor e algumas quebraram. A metodologia da qualidade total passou a ser demandada. Muita ineficiência começou a ser resolvida com os métodos "japoneses" porque estavam associadas a preconceitos e filosofias de produção sem base. Hoje, 20 anos depois do auge da "revolução da qualidade total", há uma nuance nova. Muitas empresas já chegaram ao patamar de qualidade operacional excelente — os maiores bancos brasileiros, por exemplo, nada ficam a dever em eficiência aos melhores do mundo. Produtores como a Gerdau idem. Empresas que já atingiram esse patamar sempre podem melhorar mais, mas essa melhoria será para que se mantenham onde já estão, digamos. Dinheiro novo não vem de melhoria do que já existe, vem de inovação. INNOVATRIX faz com inovação o que a qualidade total fez com melhora contínua — sistematiza e cria ferramentas que permitam que qualquer um possa usá-las.

Então, tudo começa com a identificação precisa da lacuna.

Uma lacuna só existe, como dissemos há pouco, porque existe uma contradição que não foi resolvida. Se não há contradição, não é um problema de inovação. Inovar é sempre resolver contradições.

Repare que essa é uma ideia nova.

Melhoria contínua, por exemplo, não é um "problema de inovação" é um problema de... bem... de melhoria contínua.

Mas vamos voltar.

Qual a contradição que caracterizava a lacuna que o dono do Ideal-X queria eliminar? Era esta: "*Quero transportar mais mercadorias sem acrescentar mais espaço ao navio* — ou melhor — *sem mudar o formato do navio.*" Quer dizer, "quero mais espaço, mas não quero acrescentar mais espaço".

O que a mentalidade convencional diria?

Bem, mentalidade convencional é sinônimo de mentalidade carregada de *inércia psicológica*. Ela diria o seguinte: "*você tem que escolher: ou arranja um navio maior, ou desiste de transportar mais mercadoria*".

Isso é o que chamamos de um *trade off* — você tem de se acomodar a uma das escolhas. Ou bem isso, ou bem aquilo.

INNOVATRIX rejeita isso.

Como tudo o que se apoia nas pesquisas originais de Altshuller, nosso método diz: *não se acomode a uma contradição, elimine a contradição*. Você pode ter as duas coisas, não tem que escolher uma ou outra.

Opa! Isso também é novo porque rompe com nossos mecanismos mentais naturais. Ter "as duas coisas", como assim?

Resposta: por meio de um ou mais dos princípios inventivos que Altshuller descobriu.

Assim: definida a contradição você vai até uma tabela onde você será direcionado para uma lista dos princípios inventivos que, em problemas semelhantes no passado, nortearam as soluções encontradas.

É isso mesmo. Você vai a uma tabela que relaciona princípios inventivos e contradições e seleciona direto os princípios inventivos que nortearam as soluções de problemas análogos já resolvidos.

Mostraremos detalhes dessa tabela adiante. É prático agir assim porque os princípios inventivos são poucos (os problemas de inovação são muitos, mas os princípios que disparam as soluções são poucos!). A tabela a que nos referimos é uma das ferramentas centrais da inovação sistemática para inovação empresarial, como veremos.

Dissemos: "vá à tabela e procure problemas com contradições semelhantes" que já foram resolvidos.

Contradições semelhantes? É isso mesmo. Por exemplo: "preciso de mais espaço, mas não tenho mais terreno para expandir minha casa". Contradição: quero mais espaço/não é possível conseguir mais espaço. É meio parecido com o problema do Ideal-X, não é? Qual foi o princípio inventivo que norteou a solução dessa contradição? Foi um que diz: "introduza ou elimine uma dimensão física ao problema" (Princípio inventivo 17). Quer dizer o seguinte: "se você está no plano, vá para o espaço; se está no espaço, vá para o plano." O problema foi resolvido empilhando uma casa (que estava no plano) em cima de outra, depois mais outra, mais outra... — ocupando o espaço físico em outra dimensão — uma inovação que se chamou "edifício". Uma grande inovação.

Mais adiante (bem mais adiante), ficou claro que esse empilhamento de casas era uma solução limitada — as pessoas não aguentavam subir mais do que cinco ou seis andares pela escada. Outra contradição então: "quero mais andares, mas não quero subir mais andares".

Corra à tabela. Há um princípio inventivo que diz: "faça aquilo que se move ficar parado, faça aquilo que ficava parado se mover" (Princípio inventivo 15). Bem, as pessoas se moviam, a escada ficava parada. Inverta isso. Era preciso arranjar uma escada que se movesse.

Arranjaram. Chamaram-na "elevador" e foi inventado em 1860 por um cara chamado Otis. Mas elevador não é bem uma escada que anda.

A tendência de evolução prosseguiu, até que apareceu uma verdadeira escada andante. Você a conhece, nós a chamamos de "escada rolante".

INNOVATRIX FUNCIONA CONSULTANDO CONHECIMENTO PRÉVIO

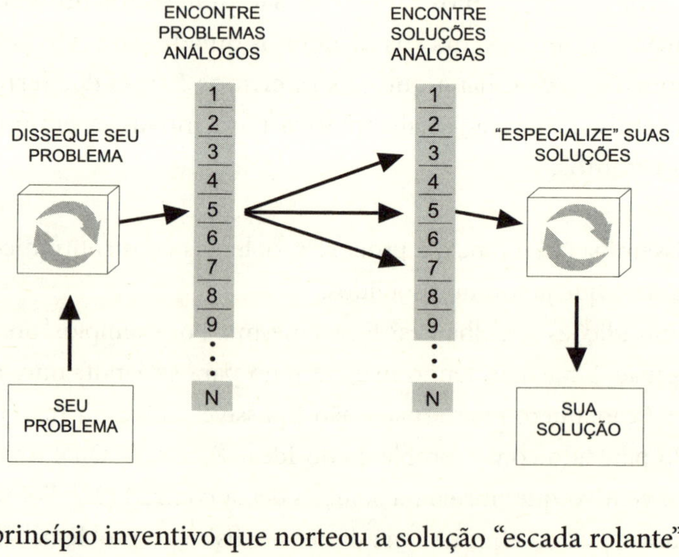

O princípio inventivo que norteou a solução "escada rolante" norteou também a invenção da linha de montagem de Henry Ford, que por sua vez tinha se inspirado em abatedouros de gado que usavam este princípio: carcaças de bois se movem, pessoas que fazem os cortes ficam fixas. Em Madurai, na Índia, surgiu uma grande inovação em cirurgia de catarata que virou *benchmark* mundial (muito menos custo, muito melhor resultado). Chama-se ARAVIND EYE HOSPITAL e baseia-se no mesmo princípio: os pacientes é que se movem conduzidos por uma espécie de esteira rolante, os médicos que fazem os vários procedimentos do ato cirúrgico ficam fixos. O fundador diz que se inspirou no método McDonald's de produzir hambúrgueres.

Conexões, conexões, conexões. Onde é que vamos parar?

Dois princípios norteadores orientam a busca de soluções de contradições desse tipo: um se chama DINAMIZAÇÃO (Princípio inventivo 15) e é esse: "faça o que estava parado se mover e vice-versa." O outro se chama "faça as coisas ao contrário" (Princípio inventivo 13). Quando a lacuna que se quer resolver envolve movimento, os dois princípios são equivalentes como norteadores e apontam para o mesmo tipo de solução.

Mas para o Ideal-X nada disso resolveria. Construir outro andar no navio não resolve a contradição (o dono quer transportar mais mercadoria no mesmo navio, não quer expandir o navio). Também não se trata de movimento relativo como no problema pessoas-escada-elevador, portanto, não adianta buscar orientação em "dinamização" nem em "faça as coisas ao contrário". Algum outro princípio inventivo nortearia a solução?

Vamos às tabelas de novo.

Há um princípio inventivo que diz: "em problemas em que há limitações físicas, recorte o espaço existente e rearranje os retalhos do recorte" — SEGMENTE (Princípio inventivo 1).

Opa, como é? Dividir o espaço para aumentar o espaço? É isso mesmo. Divida fisicamente o espaço. Talvez o ideal seja separar a mercadoria por tipo e acomodá-la em diversos caixotes, evitando deixar espaços vazios dentro deles. Depois, basta empilhar os vários caixotes de modo que eles se encaixem o melhor possível sem deixar espaço entre eles.

Segmente o espaço existente por meio de barreiras físicas, esse é o princípio inventivo. As paredes do caixote são essas barreiras. Foi assim que surgiu o contêiner. Umas das maiores inovações pós Segunda Guerra é tão simples como um caixote!

Precisava ser gênio para ter chegado a ela? Não. Precisava só usar método para contornar nossa inércia psicológica natural, e nos ajudar a pensar fora da caixa (desculpe o trocadilho bobo, mas não resistimos).

> Ninguém pensa de forma disciplinada sem um método que force isso porque a evolução nos projetou para sermos conservadores, não criativos. Somos descendentes de ancestrais que só sobreviveram porque pensavam "dentro da caixa" que continha o repertório limitado das coisas que eles tinham de fazer para gerar crias. Essas coisas são: copule e arranje comida. Ao primeiro sinal, fuja! Fuja de estranhos. Fuja de qualquer coisa que possa ser uma ameaça. Não pense muito. Se quer ficar vivo, não raciocine. Fuja!

O processo (quase) passo a passo que vimos para o contêiner, vale para ilustrar as linhas gerais de como se chega à inovação em qualquer coisa. Vamos ver em seguida o caso de uma empresa de petróleo e gás — a British Petroleum. Depois veremos Nokia, Cirque du Soleil, SouthWest Airlines, Toyota, Zara, DELL, CEMEX, Casas Bahia... sempre o mesmo processo: sempre uma lacuna definida por uma contradição, sempre um ou mais princípios inventivos norteando a solução a que chegaremos por meio das ferramentas certas.

A ideia central do INNOVATRIX — o que distingue nosso método de versões anteriores da TRIZ — é a noção de um cliente que pagará pela inovação que se introduz. Essa visão mercadológica é especificada por um conceito que introduziremos no capítulo 3: as pessoas só pagam por algo quando esse algo executa uma TAREFA que elas desejam realizar.

O ponto de partida aqui são essas *tarefas*. Achamos útil explicar o passo a passo do método primeiro, deixando a exploração desse ponto para ser feito logo depois, mas não esqueça: o ponto de partida que gera a lacuna é: o que é preciso para que o cliente lá fora perceba que vale a pena pagar?

Antes de prosseguir, uma recapitulada:

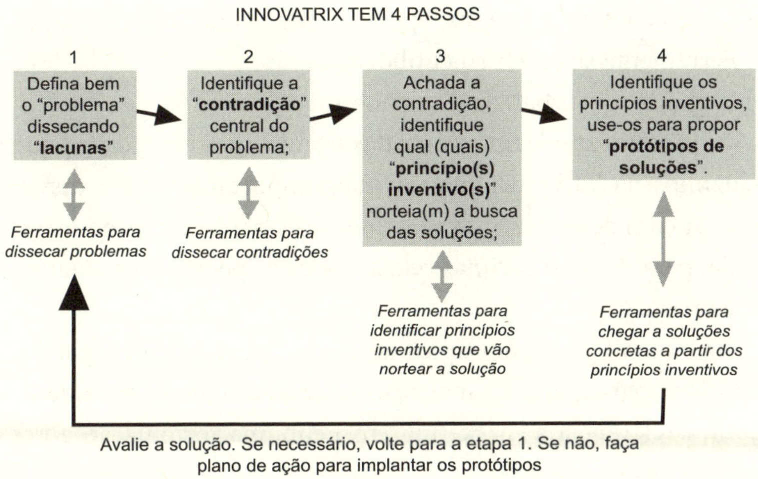

> 1. O método começa identificando e dissecando uma *lacuna*. Lacuna, lembre-se, é a diferença entre o estado atual do sistema (empresa, produto, serviço etc.) e aquilo que chamamos de seu *estado ideal*. Um sistema sempre evolui rumo a um estado ideal, e só existe lacuna enquanto esse estado ideal não é alcançado. A partir daí não há mais potencial de inovação para o sistema porque não há mais contradição a ser resolvida.

Tudo isso se faz por meio das ferramentas.

Muitas delas, Altshuller mesmo propôs, outras foram incorporadas à teoria da inovação sistemática por pesquisadores independentes como Darrell Mann.

Decidimos não ficar, a cada passo, descrevendo a ferramenta que é usada em cada exemplo. Temos duas razões para isso: tornaria o livro chato e não daria informação relevante.

O método, em suas várias etapas, pode utilizar dezenas de ferramentas. Um martelo, um serrote ou uma chave de fenda são ferramentas excelentes, mas parecerão estúpidas se você tentar convencer alguém que não as conheça a usá-las, apenas descrevendo suas funcionalidades. Ferramenta só revela sua utilidade no uso.

Não pode ser verbal, deve ser no uso!

Ainda assim resolvemos falar das ferramentas e conceitos que introduzimos na TRIZ original. A mais importante, como dissemos, tem a ver com descobrir inovações relacionadas a ofertas no mercado, ou seja, para dissecar lacunas relacionadas a "pelo que os clientes desejarão pagar?".

Esta é uma ferramenta típica de marketing. Marketing é um conceito-chave para qualquer inovação empresarial, mas você quase não encontra referência a marketing em nenhuma formulação antes do INNOVATRIX.

Outra ferramenta que introduzimos tem a ver com a montagem de *modelos de negócio* inovadores. A partir dos princípios inventivos relevantes que norteiam as soluções das contradições mais típicas do meio empresarial, mostramos o que fazer para inovar em modelos de negócio. Essa é a forma mais robusta de solução inovadora (não produtos, modelos de negócio!) e está presente em todos os grandes casos de inovação das últimas décadas do Cirque du Soleil ao iPod.

2. Ao ser dissecada, a lacuna revela a contradição central do problema. Essa contradição pode surgir meio desfocada no início, mas é essencial torná-la nítida amplificando os detalhes da contradição e da lacuna como um zoom. O trabalho das lideranças da empresa nessa fase deve ser extremamente intenso e focado. Só será possível descobrir princípios inventivos norteadores que sejam úteis se a contradição tiver sido bem definida.

3. De posse da contradição, o passo seguinte é usar ferramentas apropriadas para buscar princípios inventivos que nortearão a solução, que é a diminuição da lacuna. No caso ideal, a solução é a eliminação da lacuna. A ferramenta principal aqui é a **matriz de conflitos em negócios** que veremos no capítulo 4 e que correlaciona as contradições aos princípios inventivos que foram usadas para disparar as soluções que as resolveram no passado.[4]

4. Com isso, o grupo de líderes da empresa pode propor protótipos de soluções concretas para inovar. Já vimos que quem deve definir e assumir a responsabilidade por esses protótipos de inovação são as pessoas da empresa, não podem ser os consultores. INNOVATRIX proíbe que alguém que não as pessoas da empresa proponham os protótipos. Os consultores podem ajudar, treinar, orientar e aportar disciplina e método — mas a história de inovação de cada empresa tem que ser construída pela própria empresa. Este é um princípio inegociável do INNOVATRIX.

2.5 Mais exemplos

2.5.1 Depois de um "caixote", uma grande corporação

Considere uma atividade tradicional da "velha" economia — petróleo e gás.

A British Petroleum (BP) saiu do vermelho para um dos maiores lucros já reportados por uma empresa (US$14 bilhões em 2000), inovando na forma de se organizar e operar: a arquitetura empresarial foi redesenhada, as unidades operacionais ganharam novas responsabilidades, estabeleceram-se métricas cristalinas (coisas a medir), indicadores, políticas para relacionamento entre as unidades de produção entre si e com a matriz.

[4] Mande um e-mail para atendimento@clementenobrega.com.br se você tem interesse por essa tabela.

O que ela fez foi puramente organizacional. Foi análogo à revolução inovadora que a GM tinha feito nos anos 1920 usando os mesmos princípios inventivos! Inovação para a British Petroleum foi reorganizar-se para liberar (muito) dinheiro novo.

Qual foi a lacuna — o problema de inovação — que a BP resolveu?

Se você estivesse olhando pelo buraco da fechadura em 1980 teria visto o executivo principal da empresa dizer: "temos de nos tornar mais ágeis. Concorrentes menores estão nos matando. Demoramos demais a fazer as coisas por aqui, pois a BP é uma gigante de mais de 100 anos. Tudo é resolvido na sede. Precisamos nos tornar mais ágeis, mas não conseguimos."

O conflito que gera a contradição era, na verdade: "quero ser ágil *versus* não quero perder o controle."

Quando o problema está bem formulado a contradição salta aos olhos. O passo seguinte é perguntar.

Quem já resolveu problemas com esse tipo de contradição fez o quê?

Para resolver o tipo de conflito ("quero ser ágil sem perder o controle") poderíamos simplesmente começar aplicando os princípios inventivos em ordem (do 1 até o 40). Ou então poderíamos usar a matriz de conflitos a que nos referimos. Não tem nada de mágica, é uma tabela.

Você entra nela com a contradição (ou conflito, dá na mesma) e ela sugere o(s) princípio(s) inventivo(s) com mais chance de nortear as soluções. Dizemos que os princípios inventivos servem como gatilhos (*triggers*) da solução.

Registre bem o seguinte: a matriz não diz qual é a solução, apenas aponta o caminho mais provável para que você chegue a ela. Esse "caminho mais provável" são os princípios inventivos usados por todo mundo que já resolveu problemas do mesmo tipo no passado. Se funcionou para milhares de inovações no passado, deve servir para suas inovações atuais.

A tabela mostra isso pela ordem, primeiro o princípio inventivo considerado mais forte para o tipo de contradição, depois, sempre em ordem de importância, os demais.

No nosso caso, a rota de solução leva a vários princípios inventivos que têm a ver com "segmentação" e "separação". Isso quer dizer, introduza divisões em alguma coisa que antes era inteiriça, indistinta, monolítica, ou embolada.

Ué! Não é mais ou menos a mesma coisa que norteou a criação do contêiner? Não partimos de uma orientação análoga para compactar as mercadorias no Ideal-X separando, segmentando, o espaço por meio das paredes de caixotes?

Exato. Esta é a beleza do método.

Ele faz conexões entre coisas e atividades aparentemente desconexas. Força a mente a descobrir essas conexões. SEPARE/SEGMENTE é uma ideia abstrata que se torna concreta de forma diferente para cada tipo de problema de inovação cuja solução norteia. Todos os princípios inventivos que Altshuller descobriu desempenham seu papel desta maneira.

As divisões a que SEPARE/SEGMENTE se refere podem ser físicas (paredes do contêiner, por exemplo), mas podem ser conceituais também: vou vender o produto X num segmento de mercado, noutro, vendo o produto Y. Os segmentos podem ser áreas geográficas (regiões físicas), podem ser grupos de consumidores que tenham o mesmo estilo de vida (divisão comportamental), podem ser grupos de mesma renda (segmentação socioeconômica) etc.

Uma reorganização que dê autonomia às unidades de uma empresa dentro de certos limites, "separa" essas unidades da sede da empresa, por assim dizer. Torna mais frouxo o que antes era mais monolítico. Com isso, define responsabilidades gerenciais específicas e obriga os líderes a agir de certa maneira.

Veja uma das inovações mais consagradas em governança corporativa — a separação da administração do dia a dia das atividades do conselho de administração da empresa. Os princípios inventivos SEGMENTE e SEPARE são usados para resolver a contradição a que toda empresa familiar um dia enfrenta: os fundadores dizem que querem sair das decisões do dia a dia, mas não querem sair das decisões do dia a dia, entende? A família vai para o conselho e executivos profissionais tocam o dia a dia. SEPARE/ SEGMENTE.

Alfred Sloan tornou-se presidente da GM em 1923 e poucos anos depois tinha nocauteado a FORD. A originalidade da criação de Sloan se resume assim: as economias de escala que a Ford conseguira com sua linha de montagem não poderiam ser superadas, portanto, não daria nem para pensar em competir por preço. A GM iria oferecer carros em vários segmentos de preço — do mais barato ao bem mais caro que os Modelos T da FORD. Cinco modelos de automóvel seriam fabricados. Cada um teria apelo para um grupo específico de consumidores. Isso aumentava a complexidade do negócio e implicava um nível de organização interna sem precedentes. A visão de Sloan exigia mudar os modelos todo ano! Os custos iriam explodir. Seria preciso criar competências novas — estilo, materiais, cores, design, moda. Os vendedores teriam de ser permanentemente treinados. Num setor em que, até então, a mesmice do Modelo T era o padrão único, era mudança demais. Sloan definiu precisamente a forma de operar da organização que a implementaria e foi seu comandante. Ela teria uma estrutura multidivisional autônoma. As divisões decidiriam sobre a produção e comercialização de cada um dos cinco modelos. Haveria um forte staff central no comando da corporação, mas esse pessoal não se meteria nas ações do dia a dia, apenas auditaria as operações das divisões, planejaria e coordenaria a estratégia global da corporação. Para uniformizar a operação das divisões, Sloan promulgou um conjunto de "procedimentos padrão" e criou um conselho onde os executivos das divisões e o staff do escritório central discutiriam formas de explorar economias de escala. Foi uma tacada de mestre. Durante os anos vinte, a GM ultrapassou a Ford tanto em parcela de mercado como em lucro. Tudo anti-Ford. *Sucesso total.*

Alfred Sloan usou brilhantemente o princípio inventivo SEPARE/SEGMENTE. Usou-o dentro da empresa (divisões autônomas) e fora dela, no mercado ("um *carro para cada bolso e cada finalidade*"). Até hoje, este é o exemplo mais espetacular do uso de SEPARE na história dos negócios.

Nossa pesquisa revelou que ele é o mais importante dos princípios inventivos em aplicações em business. Quanto mais formas de usar SEPARE/SEGMENTE forem aplicáveis a uma mesma "lacuna", mais robusta a solução inventiva que você vai construir. Talvez isso seja reflexo da forma como nossas mentes se organizam.

Dividir nos ajuda a pôr ordem no caos, a entender e controlar a multiplicidade e a confusão. Um caixote fez isso com o Ideal-X, a organização multidivisional fez isso com a GM dos anos 20, tornando-a a maior máquina empresarial do século durante 80 anos; até que... bem, você sabe.

Lembre-se: INNOVATRIX não promete perenidade, promete longevidade. Achamos que já é uma promessa muito boa.

Voltando ao caso da BP, a solução que o princípio inventivo SEPARE/SEGMENTE norteia emergiu com a ajuda de uma outra ferramenta da inovação sistemática chamada *Trends of Evolution* (TOE) — ela diz que os sistemas empresariais evoluem seguindo uma direção conhecida. Essa ferramenta nos aponta certinho a tendência. Mas poderíamos também ter encontrado a solução percorrendo a lista de princípios inventivos um a um até acharmos algo.

Essa é uma característica notável do método. Há várias maneiras de se chegar à solução, mas essas maneiras estão presas a uma mesma lógica. Não é como no *brainstorming* em que as ideias são geradas sem qualquer enquadramento. A inovação sistemática força o *processo de busca* a se concentrar nas "regiões" em que há mais chances de descobrimos a resposta "certa".

Mais à frente vamos explicar por que o caminho inicial escolhido para a busca da solução acaba não tendo tanta importância desde que você fique dentro da moldura definida pelo *tool kit* da inovação sistemática.

Exemplo que ilustra a ideia de tendência de evolução (não tem nada a ver com uma empresa): um bolo de aniversário. Antigamente uma festa de aniversário era centrada num bolo (feito de farinha, ovos, fermento, leite, manteiga... O talento estava em quem agregava valor a essas *commodities* e fazia um bolo saboroso). Hoje, a festa é uma experiência multissensorial, e o bolo é apenas um simbolismo. Do bolo artesanal evolui-se para um "bem": a massa semipronta. Depois para um serviço: a compra do bolo por telefone e a entrega em casa. Daí para uma experiência: a compra da festa em si com tudo incluído (salão, música, decoração, bebidas, doces, ambientação... (o bolo eles dão de graça para manter a tradição, pois bolo não dá dinheiro).

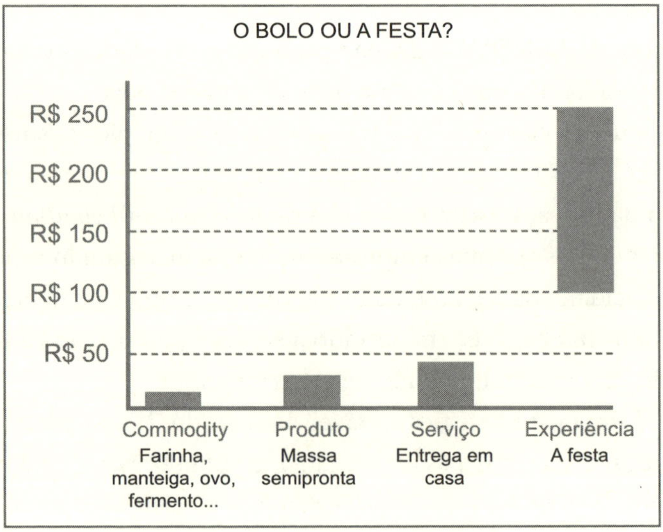

No nosso caso, a *tendência de evolução* apontava para autonomia das unidades da BP, a inversão do "movimento natural" que estava estabelecido na empresa há décadas. Em vez de tudo convergir do centro para as unidades de produção, teria de ser o contrário.

Cortar os vínculos das unidades com a sede? Melhor seria dizer: redefina os vínculos. SEPARE/SEGMENTE, mas não torne as unidades totalmente separadas.

Separe por meio de um outro princípio inventivo — FAÇA O CONTRÁRIO (*the other way around*), ou seja: as normas de operação irradiariam a partir de um centro, mas a responsabilidade era das unidades de operação e haveria autonomia para operar dentro desses limites.

Você nota que o *tool kit* é constituído não só por princípios inventivos, mas também *tendências de evolução* (e outras ferramentas que veremos adiante) para chegar à solução inovadora.

2.5.2 GE de Jack Welch

O que aconteceu na BP aconteceu em outra potência de origem industrial: a GE de Jack Welch entre 1980 a 2000. Foi um show dos mesmos princípios inventivos SEPARE/SEGMENTE entre as várias unidades de negócio da GE, e normas rígidas que obrigavam a troca de informações entre essas unidades para que o conhecimento de cada uma fosse compartilhado pelas demais. Welch se empenhava pessoalmente para que essas normas fossem cumpridas, quem as descumpria estava fora. Ele exigia que cada unidade fosse número 1 ou 2 no mercado em que atuasse, se não: "conserte, venda ou feche" a unidade. Muitas foram fechadas. Nisso há outro princípio inventivo envolvido: JOGUE FORA (descarte, *throw away*). Tinha que ser macho como líder para fazer isso numa empresa como a GE dos anos 1980.

2.5.3 IBM de Lou Gerstner

Só como curiosidade: a IBM de Lou Gerstner na virada dos anos 80 para os 90 fez o contrário.

Todos os analistas diziam que a IBM só se salvaria se desmembrasse suas unidades, transformando-se em várias empresas independentes para extirpar os males do gigantismo. Lembre-se que a velha IBM estava em crise aparentemente terminal e era considerada um dinossauro centralizado e lento. Gerstner reconfigurou a empresa toda, mas não a dividiu, juntou. Como será que ele descobriu a rota certa?

Por meio de uma ferramenta que introduziremos mais tarde: a identificação exata da *tarefa* que o mercado de TI precisava que fosse realizada naquele momento. Esse JOB TO BE DONE (veja o capítulo 3) era simples, estava na cara, mas ninguém notava. Era o seguinte: as empresas clientes da IBM — as maiores corporações do mundo — precisavam de ajuda para entender e escolher as melhores soluções que emergiam na indústria de TI no fim dos anos 80. Os executivos dessas empresas não entendiam de tecnologia e estavam perdidinhos. Gerstner — que tinha sido CEO da AMEX e da Nabisco — sabia disso. Numa passagem do livro que escreveu (o excelente: *Who says an elephant can't dance?*), ele conta como sofria quando era cliente da IBM. Quando assumira a AMEX havia 11 moedas nas quais o *American* aceitava transações, quando saiu havia 29. À medida que o AMEX se expandia, necessitava de sistemas comuns e de suporte da IBM em cada um dos maiores países do mundo. Gerstner se irritava porque toda vez que chegava a um país como Malásia, Cingapura ou Espanha, tinha de se reapresentar ao gestor da IBM local. O fato da AMEX ser um dos maiores clientes da IBM nos EUA não significava nada para os gestores das várias IBMs pelo mundo.

Gerstner resolveu unificar a IBM porque o mercado precisava de soluções integradas (esta era a *tarefa* que o mercado queria realizar). A IBM era um depósito incrível de conhecimento em tudo o que tem a ver com TI, só que operava sem coordenação e, por isso, não estava realizando a "tarefa" mais premente no mercado: "ajude-me a escolher e implantar as melhores soluções em TI. Sou CEO de uma grande empresa, mas não entendo disso."

Foi exatamente o que Gerstner fez.

Em vez de desintegrar a IBM, integrou-a criando a empresa de "soluções para um mundo global", como chamou. Qual princípio inventivo ele usou? MERGE (junte), um dos 10 que identificamos como essenciais em negócios.

Como ele sabia que era JUNTE e não o princípio contrário (SEPARE)?

Porque ele, como ex-cliente IBM, conhecia perfeitamente a contradição que a empresa vivia (ótima em tecnologia/péssima em soluções em tecnologia). Ele usou intuitivamente a ferramenta central do INNOVATRIX para descobrir o JOB que o mercado queria que fosse realizado. Depois olhou para sua empresa,detectou a contradição existente e fulminou-a partindo do princípio inventivo JUNTE.

Voltando à BP, como sabíamos que a solução viria de SEPARE/SEGMENTE?

Nunca sabemos com certeza absoluta (é método não mágica), mas a *matriz de conflitos* apontou para esse norte com base na compilação de experiências passadas.

O caso da BP, como sempre, não era original.

No final dos anos 80, a área de exploração da BP estava sendo desafiada pelos chamados *petropreneurs* — pequenas firmas que focavam apenas alguns nichos de exploração e se davam melhor do que as grandonas (eram mais lucrativas).

Agilidade "local" ganhando da "inércia centralizada".

Onde mais identificamos esse padrão? Já ouviu falar do computador pessoal desbancando os *mainframes*? *Trends of Evolution.* A solução para a BP foi fragmentar a empresa transformando cada campo em uma unidade autônoma. Segmentar conceitualmente a BP.

Essa *tendência de evolução* é fortíssima. O que era centralizado vai descentralizar. INVERTA A ORDEM é outro princípio inventivo: *the other way around.*

- Em vez de ir ao fotógrafo, a fotografia vem até você (câmara digital);
- Em vez de ir ao centro de processamento de dados, o computador vem até você (notebooks, netbooks, smartphones etc.);
- Em vez de ir ao centro de cópias, a máquina de copiar vem até você (copiadoras Canon de mesas quase mataram a Xerox);
- Em vez de ir ao shopping, ele vem até você (e-commerce);
- Em vez de ir telefonar, o telefone vem até você (celular);
- Em vez de ir ao médico, o médico vai onde você está a (*Minute Clinics* em supermercados);
- Em vez de ir ao banco... (e-banking);
- Em vez de ir a escola... (e-learning);
- Em vez de ir... algo vem a você.

2.5.4 Reinventando a NOKIA

Agora, uma potência da indústria de telecomunicações.

A Nokia conseguiu resultados não menos espetaculares (no mesmo período que a BP), mas de uma maneira muito diferente.

Saiu da quase falência em 1992, para o maior valor de mercado da Europa. Tornou-se a quinta marca mais valiosa do mundo e virou líder mundial em telecomunicações em 2000. Para isso, abandonou uma série de negócios que geravam 90% de sua receita até então (até botas de borracha eles fabricavam).

Princípio inventivo usado: JOGUE FORA (*throw away*).

Um ambiente altamente turbulento (desregulamentação, privatização, novos entrantes, explosão de demanda, tecnologias digitais, internet em telefones celulares...) não permitia que a empresa soubesse em que estava realmente se metendo ao optar pelo foco em telecomunicações. Não era possível desenhar sistemas baseados em métricas precisas e regras rígidas como a BP tinha feito (as circunstâncias do negócio da BP eram outras, seu mercado é muito menos nervoso do que o de telecomunicações).

O CEO da Nokia, Jorma Olila, motivou as pessoas a agirem sem especificar muito o sistema organizacional (não havia sequer um organograma rígido). A Nokia cresceu 30% ao ano no período 1992-2000 com pessoas motivadas pela ideia de não deixar a empresa quebrar, e determinadas a preservar o orgulho finlandês. Deu certo com a Nokia, não teria dado com a BP. O ambiente da BP, muito mais previsível, exigia um design mais rígido. Circunstâncias diferentes, inovações diferentes.

A contradição que a NOKIA resolveu foi: quero viver (para o futuro) / quero morrer (para o passado). Dito de outro modo: quero continuar, mas não posso continuar.

O conflito era semelhante ao que a IBM enfrentava mais ou menos na mesma época. Para viver tenho que morrer.

A IBM seguiu o princípio inventivo MERGE, a NOKIA seguiu principalmente o princípio inventivo JOGUE FORA somado a um outro — FAÇA O CONTRÁRIO — *the other way around.*

A ideia é: em situações em que a "máquina está travando" ou vai travar, simplifique tirando elementos dela. *Throw away.*

Lembre-se daquele foguete que tem de escapar da atração gravitacional, mas não pode ter tanques cheios. Jogue os tanques fora uma vez que eles realizaram sua função. *Throw away.*

Um outro princípio inventivo foi vital para a Nokia: COPIE. Este princípio, em negócios, é associado à liderança. O que se copia é um comportamento, uma atitude: o comportamento do líder. Churchill na Segunda Guerra, por exemplo. Em situações de extrema incerteza, olhe para o líder. Emule-o. Copie o que o líder está fazendo.

O princípio inventivo COPIE é usado para copiar o líder toda vez que há consenso sobre o que se deseja (quero sobreviver), mas não há consenso sobre o que fazer para isso. Bill Gates usou o mesmo princípio inventivo em 1995 para mudar a Microsoft de rumo diante da realidade da internet. As pessoas da empresa acreditaram nele, ainda que inseguras quanto aos efeitos da estratégia que ele estava propondo.

Gates estava certo. Em pouco tempo a Microsoft matou a Netscape a assumiu a condição de ponto de entrada na rede por meio do Explorer.

2.5.5 Afogado no Oceano Azul

A estratégia do oceano azul, de W. Chan Kim e Renée Mauborgne (2005), é um dos grandes sucessos dos últimos tempos da literatura sobre inovação. É um bom livro e nós o recomendamos (a maioria dos livros sobre estratégias inovadoras é muito ruim, e nós não os recomendamos). É bom porque é simples, apoia-se em casos reais e traz ferramentas que todo mundo entende.

Sua mensagem central é a seguinte: quer inovar? Então esqueça o que seu concorrente faz; não o imite. Crie um "novo oceano" para você nadar livre dos tubarões que provocam a carnificina existente em tantos segmentos de negócio. Quando todo mundo compete fazendo as mesmas coisas, cada competidor só ganha "tirando pedaço" do outro, o oceano fica tinto de sangue, e ninguém tem vantagem consistente. Saia desse "oceano vermelho" criando um "oceano azul" onde você possa nadar sozinho.

Legal, e como eu faço isso?

Os autores respondem: "observando as coisas que seus concorrentes fazem e fazendo diferente ou, simplesmente, não fazendo aquelas coisas."

Essa é a regra. Uma boa regra, mas não é boa o suficiente. Por que não? Continue lendo.

Segundo a visão de *A estratégia do oceano azul*, o sucesso de uma inovação como, por exemplo, o Cirque du Soleil, está no seguinte:

a) Seus fundadores olharam o que outros circos faziam e viram que todos:

- Tinham artistas famosos e de grife;
- Tinham animais como leões, elefantes, girafas;
- Tinham vários picadeiros;
- Tinham palhaços e palhaçadas de todo tipo, algumas grotescas como anões e mulheres barbadas;
- Focavam muito em vendas para grupos via agências de viagem;
- Não tinham instalações confortáveis para o público.

b) Então os fundadores do Cirque du Soleil resolveram agir assim:

- Não teremos artistas famosos;
- Não teremos animais de nenhum tipo;
- Vamos limitar a "palhaçada" reduzindo-a a um mínimo, e introduziremos certo "bom gosto" e "requinte" nesses números;
- Vamos ter um picadeiro único;
- Vamos introduzir elementos estéticos (temas, música, dança) em nossos espetáculos;
- Vamos providenciar assentos mais confortáveis para os espectadores. Chega do banco de madeira tradicional nos circos;
- Não daremos descontos para grupos.

E assim:

- Tirando coisas (bichos, artistas famosos, descontos para grupos...);

- Introduzindo coisas (temas, música e dança...);
- Diminuindo coisas (palhaçada, picadeiros...);
- Aumentando coisas (conforto das acomodações, produções variadas...).

...temos a ferramenta básica do modelo Oceano Azul — que seus autores chamam de *modelo das quatro ações*. Use sempre essa ferramenta — TIRE, PONHA, DIMINUA, AUMENTE — e você será um grande inovador, diz o livro.

Bacana, mas como eu descubro o que tirar, pelo que trocar etc.?

Nesse tira, bota, aumenta, diminui, por onde eu começo?

A metodologia Oceano Azul não diz, mas nosso método diz: o elemento prioritário do "tira" / "bota" / "aumenta" / "diminui" é identificado pela contradição central do problema com o qual você se defronta. Lembre-se, num problema de inovação você possui sempre uma lacuna que só será eliminada (ou, pelo menos, diminuída) se você identificar a contradição central. Não parta do "tira/bota...". Parta da lacuna que a contradição traz à tona.

> Lembre-se de Lou Gerstner: ele primeiro identificou a lacuna (o JOB que o mercado queria realizar, a partir dela, a contradição, depois o princípio inventivo, depois a solução. Esta é a sequência.

Voltando.

Problemas de inovação dignos desse nome embutem sempre um conflito ou contradição central, resolva-a e você será um inovador.

Obs: Em inovação sistemática "conflito" é tecnicamente diferente de "contradição", mas para nossos fins dá no mesmo. Usaremos "conflito" e "contradição" indistintamente.

A contradição central que o Cirque du Soleil resolveu foi: arte de alto nível sem artistas de alto nível.

A parte mais exigente do INNOVATRIX é fazer as lideranças da empresa formularem a contradição que define sua lacuna principal. Duas ambições opostas, ou conflitantes, ao mesmo tempo. Nessa fase, nossas ferramentas obrigam os participantes a contornarem sua lógica mental dominante. Uma vez conseguido isso, a solução do problema de inovação vem com facilidade.

Cuidado com *brainstorming*. Ele só usa o conhecimento e experiência dos participantes do grupo. A TRIZ traz para a arena o conhecimento inventivo de todas as áreas. Se você juntar um grupo de designers de interiores de automóveis para discutir, digamos, o "apoio de cabeça" dos bancos, eles certamente vão basear suas propostas de melhoria nos resultado de testes de campo com bonecos. Dificilmente se pensará em chamar um designer de luvas para apanhadores de beisebol, cuja indústria vem aperfeiçoando a solução do mesmo problema há mais de 100 anos. A TRIZ captura todos os princípios inventivos do mundo. O método torna esses princípios recuperáveis para serem utilizados em sessões bem mais produtivas de busca de soluções do que o *brainstorming* consegue.

Se tivessem usado INNOVATRIX, veja como as seguintes empresas teriam formulado as contradições que, uma vez superadas, deram origem ao seu sucesso:

- SouthWest Airlines: quero ser avião / não quero ser avião, quero ser ônibus (equivalente a: faça avião virar ônibus);
- DELL: minha oferta é um produto padrão / minha oferta é um produto customizado;
- Walmart: quero que você venha à minha loja / quero ficar localizado longe de você;
- Toyota: preciso vender / não quero estoque;
- McDonald's: quero franqueado independente de mim / quero franqueado dependente de mim;

- Casas Bahia: quero dar crédito a quem não pode pagar mas quero que pague.

> Qualquer inovação importante resolve contradições análogas a essas acima. Não conhecemos um só caso que negue essa regra, e olhe que conhecemos dezenas de casos de inovação, antigos e recentes — da invenção da agricultura há dez mil anos ao Google hoje.
>
> Não é por acaso que muitas das maiores inovações das últimas décadas foram relacionadas a preço (preço baixo com qualidade). Todas usaram os mesmos princípios inventivos para nortear a contradição vigente "coisa boa não pode ter preço baixo". É que inovações em tecnologias de produção e venda baixaram os custos, e assim ficou possível oferecer mais por menos. Essa é uma *tendência de evolução* que nosso *tool kit* usa. Tem a ver com habilitadores tecnológicos novos e com a entrada de massas enormes de consumidores no mercado (China, Índia, Brasil...). A maioria dos padrões de inovação recentes em modelos de negócio resolveu a contradição que existia desde a revolução industrial que era: "coisa boa não pode ser barata".

Oceano Azul não é uma abordagem ruim, é apenas incompleta.

Repare que o "tira/bota/aumenta/diminui" tem a ver com princípios inventivos catalogados no INNOVATRIX:

- "Elimine" (bichos etc..);
- "Inverta" / "Transforme força em fraqueza" (artistas de rua sem grife, em vez de medalhões consagrados);
- "Introduza novas dimensões sensoriais" (música, dança...).

Porém, esses princípios foram usados sem que as pessoas que conceberam o Cirque soubessem deles. Foram usados sem um método que os tivessem indicado, e deram certo porque os fundadores do Cirque são gênios intuitivos. Não é o nosso caso.

Você não é gênio, leitor. Já pedimos desculpas por falar assim, mas se você fosse gênio não estaria perdendo seu tempo lendo um livro escrito por "não gênios" para "não gênios".

INNOVATRIX parte da identificação da contradição e, em seguida, disseca a lacuna cuja superação a resolve. Estamos convictos de que você pode inventar o equivalente ao seu próprio Cirque du Soleil.

Não usamos *brainstorming*, usamos ferramentas desenvolvidas para contornar nossos vieses e inércia psicológica.

Usamos ciência.

Nenhuma empresa inova partindo de lacunas definidas do nada. A lacuna que origina a contradição a ser resolvida está sempre associada a dinheiro novo. Essa lacuna se origina sempre de um JOB TO BE DONE — uma tarefa que precisa ser realizada.

Capítulo 3

Pense sistematicamente e crie suas próprias inovações

3.1 Copie este *template*

Há muitas empresas consagradas em design de produtos. A americana IDEO é uma. Essas empresas — suas metodologias e filosofias de trabalho — são inspiração para nós porque o que o INNOVATRIX diz, essencialmente, é que os mesmos princípios inventivos usados no design de artefatos inovadores (aqueles princípios que Altshuller descobriu) podem e devem ser usados no design de negócios inovadores.

Porém, quem trabalha com inovação empresarial não pode se preocupar só com *produtos* por uma razão: designs inovadores em produtos tendem a ser imitados rapidamente.

Não desprezamos inovação em produto, na verdade, algumas das melhores contribuições de nosso método têm sido nisso (ele teve origem em produto), mas não é aí que está o centro da coisa.

Nossa opinião é que é impossível sustentar uma vantagem minimamente duradoura por meio de *designs* matadores de produtos. Mesmo empresas como Procter & Gamble, Nike, Intel, Apple ou qualquer uma das gigantes farmacêuticas percebem que não é produto. Ou melhor, percebe que produto é mais do que simplesmente "produto". Eles querem "produto" — assim, entre aspas — mas não querem produto, entende? Não? É mais ou menos assim como o Cirque du Soleil (circo sem circo) ou Casas Bahia (gente pobre pagando em dia). Resolver contradições deste tipo é o centro do INNOVATRIX.

O que pode sustentar fluxos de dinheiro novo relevantes para as empresas é outra coisa.

O que é? Descobrimos a resposta estudando e catalogando, *à la* Altshuller, o que aconteceu com as fontes de dinheiro novo no passado. Nunca esqueça: o problema com que você se defronta hoje já foi resolvido por alguém. Continue lendo.

Vejam o iPod e o iPhone, os aparelhos aos quais se atribui a ressurreição espetacular da Apple. Nós afirmamos que não foram os aparelhos e suas tecnologias a causa do sucesso, foram os *modelos de negócio* em que eles vieram "embrulhados".

Antes do iPod já havia excelentes tocadores de mp3 que não decolaram. Você pode pensar que, como apareceu primeiro, a tecnologia *touchscreen* dos iPhone gerou logo uma vantagem que os outros não podem tirar (chamam isso de "vantagem do primeiro a entrar"), mas não foi isso não.

Menos de um ano após o lançamento do iPhone, os principais competidores já ofereciam aparelhos equivalentes do ponto de vista de design e de tecnologia, no entanto, a escalada de sucesso do iPhone continuou. Entrar primeiro no mercado não dá vantagem, o que dá vantagem é "entrar primeiro na mente" como aprendemos com Al Ries.

No momento em que escrevemos, o iPhone não é líder em *smartphones*. Nokia e BlackBerry estão na frente (ainda). Portanto, a vantagem que todo mundo diz que a Apple tem — e que vai acabar consolidando-a na liderança — não está vindo do aparelho, mas de outra coisa.

Essa "coisa" são as *tarefas* que iPod e iPhone realizam (quase certamente, será o mesmo com o iPad).

Olha só.

Antes do iPod já era claríssimo que muita gente preferia baixar músicas de graça da internet (via Napster ou equivalentes) a comprar CDs.

O mercado estava lá. Quer dizer, havia uma *tarefa* que as pessoas queriam realizar: ouvir música. Uma *tarefa* antiquíssima. O que era novo? A oferta existente até então para realizar a *tarefa* ouvir música era: "você tem que comprar os pacotes de músicas que a gravadora decide colocar num CD". Com a internet, essa oferta começou a perder para o formato: "eu escolho as músicas que quero ter no meu pacote". Era para realizar essa tarefa que as pessoas contratavam sites como NAPSTER ou KAZAA e compravam tocadores de mp3.

Funcionava, mas era inconveniente, além de ilegal. A qualidade das músicas nem sempre era boa. Não era simples organizar músicas baixadas da internet em coleções de preferências por artistas, por época, por gênero musical... O processo: achar / baixar / organizar / ouvir / compartilhar música estava longe do ideal. Muita gente usava simplesmente por não haver alternativa para realizar a *tarefa*, o JOB.

> A inovação sistemática aplicada a negócios ensina que o ponto de partida para a realização de uma tarefa que esteja pedindo para ser realizada (um JOB TO BE DONE) ,é imaginar a *oferta ideal* que realizará a tarefa. As ferramentas para visualizar isso que chamamos de "estado final ideal" são parte integrante do *toolkit* da TRIZ e do INNOVATRIX. Note bem o que estamos dizendo: havendo um JOB TO BE DONE, use o método para visualizar como seria a forma ideal de realizá-lo, não fique tentando melhorar a forma atual a partir da forma atual. Leve sua mente até a forma ideal, e depois volte fazendo concessões, até chegar à atual.

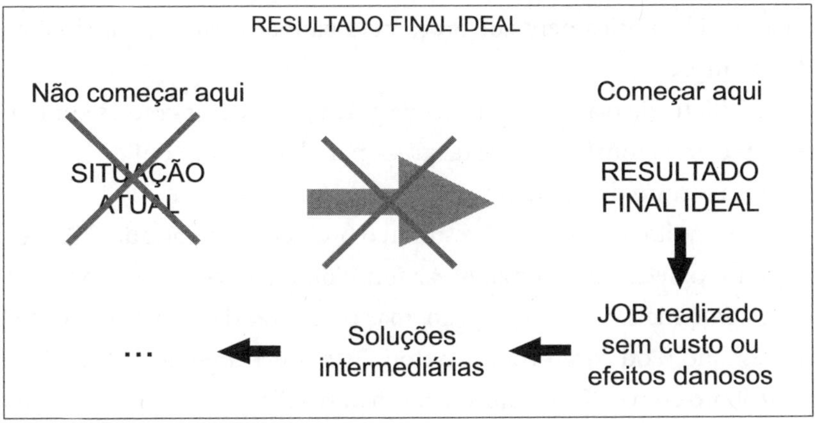

Isso é uma violência contra nosso *modus operandi* psicológico natural. O método nos oferece ferramentas para, digamos, torturar nossos cérebros de modo que aceitem fazer isso. O INNOVATRIX garante que com as ferramentas certas eles fazem.

Qual o estado final ideal da oferta? O que realizaria, de forma ideal, o JOB: fácil achar, fácil baixar, fácil organizar, fácil ouvir, fácil compartilhar música? Seria um arranjo que necessitaria do seguinte:

Acordos com gravadoras que aceitariam disponibilizar *gratuitamente* as músicas de seus catálogos (o *estado final* é idealizado, leitor, por isso, as músicas são grátis. No *estado final ideal* nada tem custo).

Uma loja virtual (tipo Amazon, talvez) que armazenasse essas músicas para download instantâneo;

Um software muito bem desenhado para tornar "perfeitos" a localização, o download, a organização e o compartilhamento desses conteúdos;

Um excelente tocador de mp3.

Bem, música grátis não dava, mas música a US$0,99 dava. A Apple decidiu cobrar isso por música, e desistiu de ganhar dinheiro aí — ela dá a música praticamente de graça para ganhar com a venda do tocador de mp3.

A Gillette dá o aparelho quase de graça para lucrar com as lâminas. A Apple dá as músicas quase de graça para lucrar com o iPod que materializa o resto dos elementos do *estado final ideal*.

Sabe aquilo de "alguém já resolveu o problema no passado"? Pois é...

É impossível alguém manusear um iPod e não considerá-lo "ideal". O design é mais do que campeão, mas o sucesso da Apple com o iPod não está no iPod como você já notou. Está no arranjo do qual o iPod é parte junto com o iTunes Store, e o software iTunes (funcionando como loja virtual e sistema de integração de todos os componentes necessários a realizar o JOB).

Não podia dar errado. Realizou muito mais "idealmente" o JOB de ouvir música e as tarefas associadas a isso: localizar, baixar, organizar, compartilhar.

A história do iPhone é semelhante, com a Apple Store funcionando como loja virtual para milhares de aplicativos que são desenvolvidos por uma rede de mais de 100 mil desenvolvedores (no momento em que escrevemos). Esses desenvolvedores desempenham para o iPhone o mesmo papel que as gravadoras representaram para o iPod — a garantia de que você vai ter permanentemente conteúdos *cool*. Isso e mais a integração de outras funcionalidades — como o próprio iPod que vem embutido no iPhone — fazem do iPhone outro campeão. Concorrentes como Nokia e, talvez, o próprio BlackBerry (líder quando escrevemos) demoraram a notar que não é o aparelho, é o arranjo. É o arranjo, o arranjo...

En passant: vários *princípios inventivos* foram usados nas concepções dos modelos de iPod e iPhone.

Por exemplo, há um chamado BONECA RUSSA (*Nested doll* — Princípio 7) que consiste em colocar elementos que agregam funcionalidade ao sistema dentro de outros elementos já presentes no sistema, como o iPod dentro do iPhone. Outro princípio usado foi o JUNTE (MERGE — Princípio 5), um princípio muito comum quando há um JOB TO BE DONE que ninguém esteja realizando direito (lembre-se da IBM de Lou Gerstner).

Não sabemos se a Apple utilizou esses princípios conscientemente, mas nós (não gênios) os teríamos utilizado. O INNOVATRIX mostraria que eles já tinham norteado a solução de muitos problemas análogos no passado.

3.2 Aprenda com o exemplo do iPod o que é um modelo de negócio

O iPod é uma grande inovação não por ser um tocador de mp3 melhor, mas porque é o epicentro de um *modelo de negócio* melhor.

Inovação em modelo de negócio é mais importante do que em produto.

> Um modelo de negócio, segundo Clayton Christensen, é um arranjo de 4 elementos que garante que você vai entregar uma oferta pela qual o mundo vai querer pagar o preço que você precisa que seja pago.

É só isso e nada mais.

1. Tudo começa com um JOB TO BE DONE, uma oferta de valor para alguém que necessita ou quer realizar uma *tarefa*. Você não parte de um segmento de mercado, nem de uma categoria demográfica, nem de um lugar geográfico, nem de uma faixa de renda. Parte de um JOB.

Muitos JOBs estão sendo realizados precariamente (como na era pré-iPod) e há grandes oportunidades simplesmente aperfeiçoando a realização de JOBs que não estão sendo realizados de forma mais próxima do ideal.

No INNOVATRIX, o JOB é o ponto de partida a partir do qual as inovações são desenhadas. Não pergunte ao cliente (ele não sabe) concentre-se no JOB. Cliente não sabe especificar soluções inovadoras, este papel é de quem desenha a inovação. Ouvir o cliente de nada adiantaria para criar o arranjo iPod. Você tem é que observar como ele vive sua vida, e descobrir quais os JOBs que ele está tentando realizar.

Nota: este é outro pilar conceitual da inovação sistemática. Concentre-se na função que deve ser desempenhada para satisfazer o

JOB, não na forma de realização. Ninguém sai de casa para comprar uma broca, saímos em busca da melhor solução para produzir um buraco na parede. Os fabricantes de redes para cabelo que armavam penteados femininos sumiram porque ninguém compra redes de cabelo, compra-se cabelo armado. Laquê realiza melhor o JOB do que rede de cabelo.

2. Uma vez detectado o JOB (e há método e ferramentas para isso) você tem de identificar os RECURSOS necessários para realizá-lo. Gente, parceiros, tecnologia, produtos, instalações, equipamentos, marca, dinheiro...

Uma característica da inovação sistemática é a busca de recursos que já existam subutilizados (dentro ou fora da empresa) e que ela possa utilizar para realizar o JOB.

O mundo empresarial tem uma tendência natural a subutilizar recursos, e tanto a TRIZ como nosso método enfatizam o uso de recursos que já estejam aí, não a aquisição de novos recursos.

A lógica dominante é que para melhorar você precisa adicionar coisas. Quer aumentar a qualidade? Crie um Departamento de Qualidade. Quer diminuir o tempo de manutenção? Coloque mais gente fazendo manutenção. Isso é inércia psicológica. INNOVATRIX foi criado para empurrá-lo para fora da zona de inércia psicológica. Coloque em uso os recursos que você já tem, não saia pedindo mais dinheiro, mais funcionários, mais computadores, mais isso e aquilo.

> Na linha de contornar o que é natural em nós (ser natural é ser inerte psicologicamente), e construir dinheiro novo com base no contranatural, nosso método exige a busca da otimização dos recursos que já existem e estão sendo subutilizados.
> Essa parte do método nos ajuda a identificar os recursos que podem ser usados para trazer o estado ideal mais para perto.

O que a Apple fez ao construir alianças com a indústria da música e vídeos sem gastar nada (idem com a comunidade de desenvolvedores de aplicativos para o iPhone), foi basicamente lançar mão de *recursos* que estavam no sistema, subutilizados, doidos para entrarem no jogo.

Esta decisão de se abrir para alianças é, em nossa opinião, o que diferencia a nova Apple (na segunda gestão de Steve Jobs) da velha Apple que praticamente quebrou em 1996.

A Apple não é genial porque Steve Jobs é "o cara".

Para nós, a Apple é genial porque é craque em identificar *jobs to be done* (sem trocadilho) e fazer os arranjos certos para realizá-los. Se essa habilidade estiver impregnada na cultura da empresa, a Apple vai continuar bem depois de Steve. Os JOBs que contam são outros.

3. Com o JOB e os recursos definidos, o passo seguinte é especificar PROCESSOS — as formas de trabalhar no dia a dia, que deem conta das coisas que têm de ser feitas de forma recorrente: treinamento, planejamento, monitoramento de indicadores, fabricação, entrega, suporte, etc.

Processos são o "dentro" da empresa. Inovação sistemática tem ferramentas específicas para dar conta da solução de conflitos e *trade offs* que surgem dentro das empresas. Esses conflitos sempre impactam seus custos e, portanto, tornam a realização do JOB mais difícil, pois o cliente pode não querer pagar o suficiente para cobrir esses custos.

Essa parte do nosso *tool kit* trata de olhar para conflitos do seguinte tipo: "quero melhorar a qualidade, mas não quero aumentar o custo de fabricação", ou "quero diminuir o tempo de pesquisa e desenvolvimento, mas não quero aumentar o risco de lançar produtos errados", "quero melhorar o atendimento, mas não quero adicionar mais pessoas ao *call center*"...

Os especialistas em inovação sistemática aplicada ao mundo empresarial identificaram 31 parâmetros que podem estar em conflito entre si (coisas do tipo: "quero diminuir o *tempo de entrega*, mas não quero mais *caminhões de entrega*"). Os princípios inventivos que os resolvem são os mesmos que resolvem as contradições que caracterizam as grandes inovações.

Esse é um dos itens do *tool kit* do INNOVATRIX que vamos descrever com algum detalhe adiante. Por hora registre que processos internos livres de conflitos são essenciais para o desenho de soluções inovadoras. Se não, ninguém paga o que você precisa para ficar vivo.

O quarto item de um modelo de negócios é a FÓRMULA DE LUCRO — a velocidade com que o dinheiro entra, cobre os custos de operar o modelo, e deixa uma margem para você.

Seu lucro é determinado pela estrutura de custos (dentro) e pelo preço que você pode cobrar (fora, no mercado). Se essa parte do "quadrado mágico" que constitui o modelo de negócios não fechar, adeus. Você tem de ganhar mais do que gasta em qualquer caso.

A Apple, com o arranjo iPod, conseguiu fechar o modelo do modo mais elegante — criando a percepção de que vale a pena pagar (muito) mais pelo iPod do que por outros tocadores de mp3. A margem (dinheiro que sobra) para a Apple com esse arranjo é enorme. Uma vez nós nos referimos a ela como "quase pornográfica", mas era maneira de falar. Preço quem determina é o mercado. Se o mercado paga é porque há um JOB que ele quer realizar e você está realizando de forma funcional, consistente e conveniente. Até que outros o imitem, você vai viver com boas sobras de gordura. Imitar aparelhos é fácil, imitar arranjos é difícil. O mercado não procura, de saída, o mais barato, a não ser que todas as ofertas existentes já entreguem funcionalidade, consistência e conveniência para realizá-lo. O caso do Cirque du Soleil ensina a mesma lição. O Cirque du Soleil é mais caro do que as ofertas tradicionais, apesar de ter custos mais baixos. Por quê? Porque o mercado acha que vale a pena pagar o preço que eles cobram, só por isso.

UM MODELO DE NEGÓCIOS

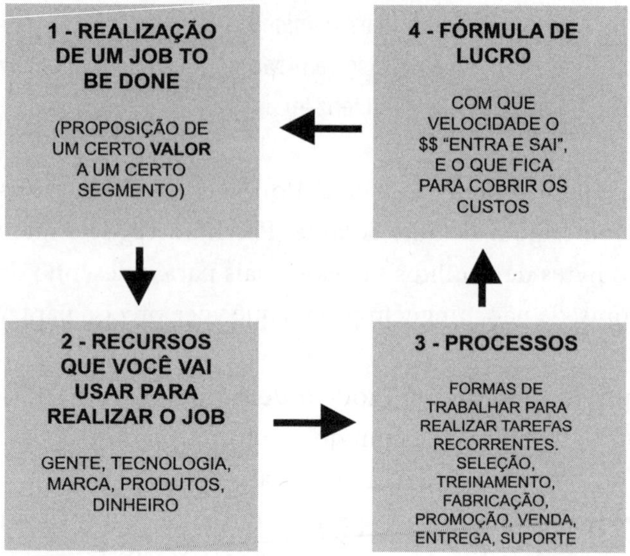

3.3 Guarde isso

1. Um modelo de negócios é uma história, uma narrativa, que tem de fazer sentido. Essa história diz como a empresa vai criar valor, entregar valor e ficar com um pedaço do valor para si. Tem que ter um enredo interessante, personagens bem definidos agindo com motivações plausíveis.

Se não, não fecha. Se não fecha, não rola.

> Joan Magretta (ex-editora da *Harvard Business Review*) conta a seguinte história em seu livro *What Management is*.
> A Priceline Webhouse Club foi uma das pontocom que virou pó após o boom do final dos anos 90. O CEO da empresa, Jay Walker, tentou expandir para o varejo o conceito de "você dá seu preço" que já era usado para vender passagens de avião. A história que ele tentou contar foi: pela internet, milhões de pessoas diriam quanto estavam dispostas a pagar por, digamos, um pote de manteiga de amendoim. Dariam o preço, mas

não poderiam escolher a marca. A Webhouse juntaria todos os pedidos e iria a uma grande empresa do setor alimentício (Nestlé, Kraft Foods...) com a seguinte proposta: "abaixe um dólar no preço que nós compramos um milhão de frascos essa semana." O mesmo seria feito com gasolina, fraldas descartáveis, sabonete, o que fosse... O que deu errado na história? Walker presumiu que empresas como a Procter & Gamble, Kimberly Clark, Exxon... teriam interesse nesse enredo. Mas por que haveriam de ter? Essas empresas gastaram bilhões de dólares para convencer os consumidores de que sua marca é melhor, lealdade à marca é tudo para elas. Os consumidores da Webhouse queriam só preço, dane-se a marca! Quer dizer, os fornecedores teriam de ajudar a Webhouse a puxar para baixo tanto seus preços como suas identidades de marca tão duramente construídas. Faz sentido? Não. A Webhouse não tinha um modelo de negócio porque não conseguiu mobilizar os RECURSOS de que precisaria. Quebrou.

2. O elemento mais importante do quarteto que compõe o modelo de negócios é o JOB TO BE DONE. Você pode errar nos outros três (dentro de certos limites) e continuar vivo, mas não pode errar no JOB e continuar vivo. A introdução do JOB no *tool kit* da inovação sistemática consolida de forma mais robusta a aplicabilidade da TRIZ original.

3. Inovações surgem se há JOBs não realizados ou realizados de forma inadequada. Quando há um grande JOB que ninguém esteja fazendo direito, a lacuna é a simples realização do JOB.

A IBM de Lou Gerstner fez isso, juntando elementos (recursos) que já estavam dentro da organização. O iPod/iPhone ao juntarem recursos de fora (desenvolvedores de aplicações, gravadoras de música) com as competências em design e desenvolvimento de software que a Apple já dominava, fez o mesmo.

Veja o caso do kit "tênis Nike + iPod": ao juntar os dois artefatos (e mais os outros elementos dos respectivos modelos de negócios) cria-se uma experiência mais enriquecedora para os corredores. Por meio do registro de informações relacionadas ao exercício (ritmo da corrida, distância, calorias queimadas...), e da sincronização dessas informações com o site da Apple ou da Nike via iTunes, você leva mais longe a experiência de correr.

Você se lembra que o conflito que a IBM resolveu foi "quero responder rápido aos JOBs dos clientes relacionados a soluções que envolvam TI em todas as operações dos negócios deles". Para isso, teve de mudar as regras que definiam as operações de suas unidades internas, obrigando-as a funcionar integradamente.

O conflito que a Apple resolveu foi análogo: "quero redefinir o que é localizar, baixar, organizar, compartilhar e ouvir música". Para isso terei de mudar alguns postulados que sempre tive, como, por exemplo, fazer amplos acordos com *players* de fora da organização.

Sem liderança, nada feito. Em ambos os casos (Apple e IBM), e em muitíssimos outros, é o líder da empresa — é uma pessoa — que orquestra a mudança necessária. Só um líder faz o que precisa ser feito para mudar a cultura organizacional (um recurso). O INNOVATRIX considera explicitamente "liderança" em seu *tool kit*. Essa é outra contribuição original nossa à metodologia da inovação sistemática.

Lou Gerstner, Steve Jobs e Jack Welch são exemplos de líderes empresariais que mobilizaram suas organizações no rumo que julgavam mais adequado. Todos foram grandes manipuladores de cultura organizacional. Cultura é um *recurso* essencial que uma empresa usa para construir um modelo de negócio, e, ao contrário de outros recursos, como máquinas ou instalações, cultura não pode ser comprada.

A Casas Bahia pôde provocar a revolução que provocou na venda a crédito para pessoas pobres, porque sua cultura empresarial tinha sido moldada por meio da concessão de crédito a pessoas que não podiam dar garantias formais. Nenhum dos outros *players* — bancos, financeiras — sabia como fazer isso. A Casas Bahia fazia com naturalidade porque estava no seu DNA.

Para Steve Jobs e Lou Gerstner, as circunstâncias facilitaram suas tarefas porque suas empresas estavam quebradas. Essa circunstância não deixava margem a muita contestação interna; mas, sem legitimidade e força para manipular as respectivas culturas, nada teria rolado. Jack Welch fez o mesmo na GE sem a pressão de fora que os outros dois enfrentaram.

4. Em qualquer problema de inovação sempre há um JOB a ser realizado. Sabemos quão bem a empresa está conseguindo realizar o JOB, por meio de várias medidas que chamamos de *outcomes*.

Dependendo da situação, funcionalidade é o *outcome* que conta mais. Ou seja, a oferta é "contratada" para realizar o JOB mesmo que não o faça direito. Por quê? Porque não há alternativa. O JOB existe e não há nada melhor para realizá-lo. Era o que havia com tocadores de mp3 antes do iPod. Mas, se há várias ofertas que se possa "contratar" para realizar um JOB, o cliente vai preferir aquela que oferece atributos além da pura funcionalidade. Vai buscar, pela ordem: consistência, conveniência e preço.

Se uma empresa quer pensar como seu cliente pensa, ela tem de focar no JOB que o cliente está querendo realizar. Isso significa que em vez de perguntar aos clientes o que fazer para melhorar um produto, temos que agir assim:

a) Desconstruir em um passo a passo o JOB que o cliente está querendo realizar (ex: achar, escolher, baixar, organizar, ouvir e compartilhar música digital). É preciso focar na função, não na solução.

b) Determinar e priorizar as métricas que o cliente usa para definir se o JOB está sendo realizado direito (se os *outcomes* são os desejados pelo cliente).

Nós incorporamos ao INNOVATRIX várias regras relativas à estrutura, conteúdo e formato desses *outcomes*. Nossa base foi o trabalho de Anthony Ulwick em *What Customers Want* e os muitos artigos e livros em que Clayton Christensen trata do mesmo tema.

5. "Necessidade de um cliente" é definida por nós como "as medidas fundamentais associadas a realizar o JOB". Após essas métricas terem sido descobertas, elas são priorizadas para revelar quais são importantes e estão mal satisfeitas. Aqui estarão as melhores oportunidades de inovação.

É assim que se inova com método.

Só pagamos por algo que nos ajude a realizar uma tarefa, um JOB. Nós é que decidimos as tarefas que queremos realizar. Havendo uma, a primeira pergunta do comprador da solução é: "isso realiza a tarefa mesmo?" Pense nos primeiros telefones celulares: pesados, sinal ruim, bateria anêmica, mas a tarefa "quero me comunicar de onde estiver" era realizada. A funcionalidade era ruim, mas era a que havia.
A competição força a melhora da funcionalidade e, quando isso ocorre, a pergunta do comprador muda: "ok, funciona, mas é confiável? Não vou me aporrinhar depois?". O Viagra percorreu rápido essas duas fases. Sim, realizava a "tarefa". Não, não tinha efeitos colaterais. O comprador passa então a buscar comodidade (conveniência) para comprar, usar e obter suporte. O celular fica fácil de manusear. Compra-se Viagra por telefone, sem receita. Processos amigáveis (venda e pós-venda) é que decidem a compra.
A DELL liderou em PCs enquanto foi mais conveniente em compra--entrega-suporte. Preço só fica decisivo quando funcionalidade, confiabilidade e conveniência estão amplamente disponíveis para a tarefa a realizar. Tudo o mais sendo igual, compro o mais barato. Qual a "tarefa" que um livro realiza? Depende. Para a Enciclopédia

Britânica, supostamente era: "preparar meus filhos para o futuro". Os filhos raramente a abriam, mas, comprando a Britânica os pais aplacavam sua culpa (a verdadeira tarefa que queriam realizar, ao contrário do que verbalizavam). Um PC executa essa tarefa muito melhor, e a Britânica quebrou assim que surgiram. Quem tem tarefa centrada em conteúdo (equivalente à funcionalidade + confiabilidade) pirateia, faz xerox e busca o grátis. Mas se a tarefa é "ajude-me a otimizar meu tempo" é a conveniência que comanda. Um resumo em áudio será pago, mas o livro inteiro não interessará nem de graça. Haverá nichos para tudo, incluindo livros capa dura para exibir como decoração. Se a tarefa em educação é "quero aprender", haverá conteúdos pedagógicos gratuitos. Sistemas pagos vão customizar esse conteúdo para sua forma individual de aprender. Professor, como profissão, só particular. Caro e raro. Muitas tarefas médicas serão resolvidas via internet. Tchau, doutor. Ouvir música é tarefa sempre executável de forma funcional, confiável, conveniente, e gratuita. Adeus CDs. A propósito, há livros que são grátis em versão digital completa, mas um resumo em áudio é pago. Quem quer conteúdo (funcionalidade + confiabilidade) não paga. Quem quer conveniência tem que pagar.

O QUE DETERMINA A COMPRA AO LONGO DO TEMPO
(TENDÊNCIA DE EVOLUÇÃO)

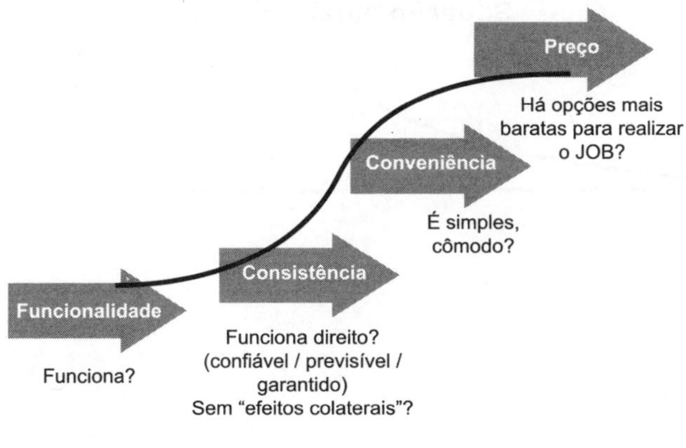

O INNOVATRIX usa a chamada "curva S" para determinar a fase em que uma oferta está (funcionalidade, consistência, conveniência ou preço).

Essa é uma das ferramentas básicas da metodologia. Usando-a junto com as demais, ficamos em posição ótima para propor a rota de solução para a lacuna que caracteriza o problema de inovação da empresa.

Por exemplo: se é *preço* que está determinando a aceitação da oferta é porque ela já percorreu as outras fases, e a saída então é inventar outra curva S, aumentando o significado do produto original. A CEMEX fez isso com cimento e concreto, como veremos.

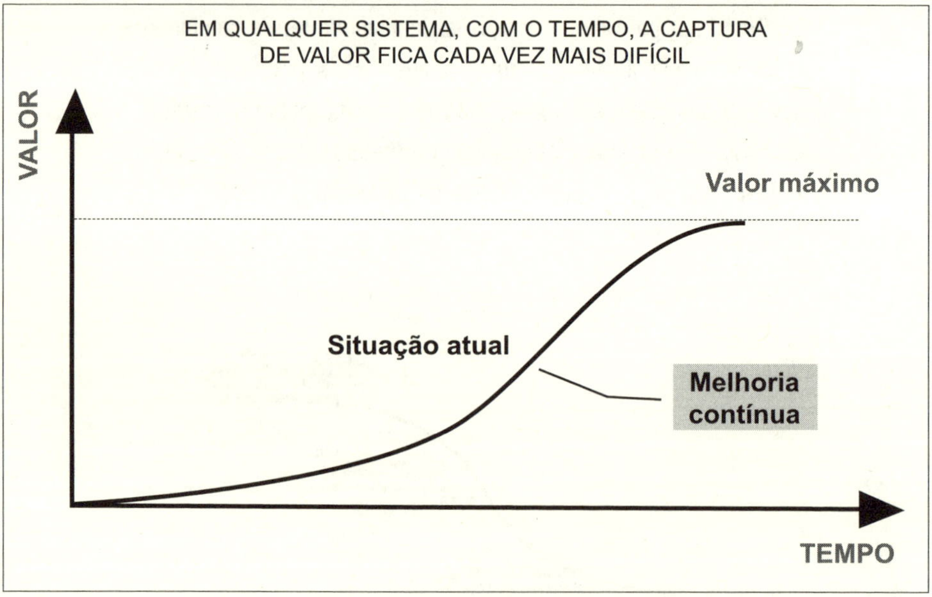

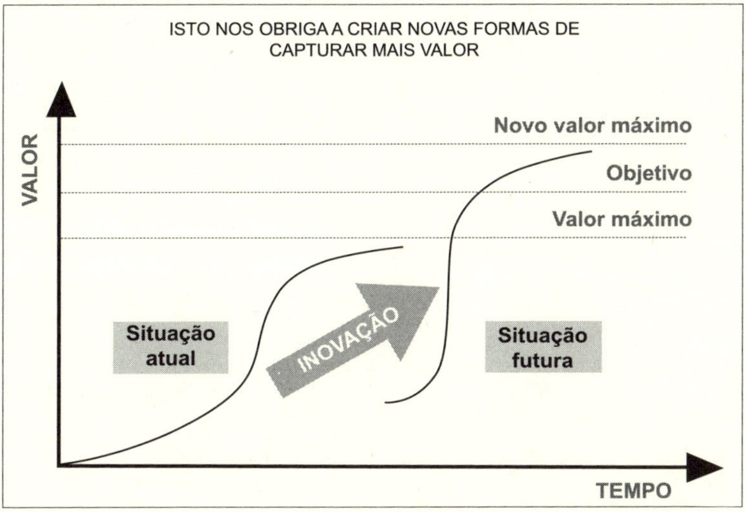

Se seu produto é *commodity*, o que está determinando a compra é só o preço, então inove pulando para outra curva S. Como exatamente? Usando uma das muitas rotas de solução para vários tipos de problemas de inovação em *commodities*. Todas lançam mão (além dos princípios inventivos) da ferramenta *Trends of Evolution* (TOE).

Inovação sistemática é ferramenta e método para a criação prática. Você pode abandonar o voyeurismo e criar seus próprios iPod e iPhone.

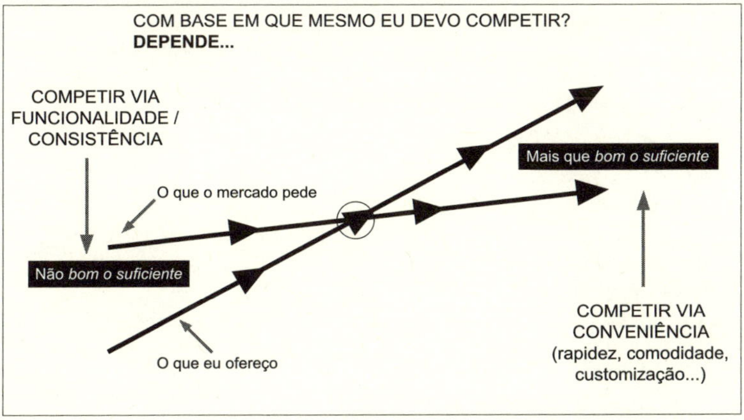

Capítulo 4
Não se afogue no Oceano Azul

Que tal criar sua própria inovação de valor? Seu próprio Cirque du Soleil, digamos...

A ideia do livro *A estratégia do oceano azul*, como vimos, é a "inovação de valor". Pegue as ofertas existentes e "tire, ponha, aumente, diminua" atributos existentes nelas. Assim você define seu próprio oceano azul para nadar.

O conceito central é a identificação de uma *inovação de valor* que busque simultaneamente *custo baixo* e *diferenciação*. Ou seja, "coisa boa produzida com custo baixo". Isso, até pouco tempo atrás, era uma contradição do mesmo tipo das que temos tratado aqui. "Coisa boa" e "custo baixo" eram ideias conflitantes.

Vimos como o Cirque du Soleil criou uma *inovação de valor*, mas ficou a seguinte questão: como é que eu, que não sou gênio como Guy Laliberté (fundador do Cirque) poderia ter criado o equivalente a um Cirque du Soleil?

Achamos que não é uma questão tola. Na verdade, achamos que essa é uma excelente questão. É para respondê-la que escrevemos este livro.

> Você teria uma chance de criar o equivalente ao seu próprio Cirque du Soleil se procurasse soluções para problemas análogos que já tivessem sido resolvidos .

Sem um guia assim você terá de depender de um "olhar penetrante e límpido", e só por sorte identificará o que tirar / botar / aumentar / diminuir nas ofertas existentes para construir sua inovação de valor.

Já sabemos (via Altshuller) que é perfeitamente válido agir assim, pois a mente inovadora nunca é original, ela sempre cria em cima de algo que já tinha sido criado.

Qual foi o problema de inovação que o Cirque du Soleil resolveu? Será que seus fundadores detectaram um JOB novo que as pessoas estavam querendo realizar? Não, não foi isso.

É bobagem mitificar a figura do fundador. É voyeurismo. Somos contra voyeurismo, preferimos fazer a olhar.

Como em muitos outros casos, Laliberté agiu movido pela necessidade, não pela escolha ponderada e racional (ver caso da Toyota à frente, exatamente a mesma coisa). Ele não tinha a opção de usar animais nos espetáculos (era muito caro: ração, vacinas, domador, veterinário, alojamento, transporte especial). Não tinha a opção de usar artistas famosos pela mesma razão. Ele tinha de fazer as coisas com pouco dinheiro, isto é, fazer arte circense com custos baixos. Por sorte ou talento tomou as decisões que tomou. Por sorte ou talento decidiu eliminar os bichos quando o mundo começava a não gostar mais de aplaudir domadores infligindo castigo físico a animais. Acaso ou antevisão?

Se foi sorte ou não pouco importa.

O que importa é que se você estivesse na mesma situação, querendo inovar em uma atividade estabelecida sem diminuir o valor entregue, sem diminuir a qualidade — pelo contrário, aumentando o valor percebido da oferta vigente — o que faria?

O conflito é: tenho que cortar custos e aumentar o valor. Vamos às ferramentas do INNOVATRIX.

Problemas como esse (custo baixo/alto valor) só foram resolvidos na história dos negócios por meio de um princípio inventivo chamado de SEPARAÇÃO.

Exatamente o contrário de IBM e iPod/iTunes (que não foram inovações tipo custo baixo/alto valor). Naqueles casos foi JUNTE (MERGE) porque o JOB TO BE DONE exigia. No caso do Cirque du Soleil foi SEPARE (no sentido de tirar coisas) porque era a única coisa que podia ser feita (nada muito criativo, certo?).

A única coisa a ser feita? Bem, mais ou menos...

Quem, no passado, resolveu problemas análogos não CORTOU apenas. Cortou alguns elementos e adicionou outros. Perfeito: é o "tira/bota" de sempre, mas com uma importantíssima diferença. Ao contrário do que sugere o Oceano Azul, o que foi adicionado não saiu assim do nada, da intuição, do *brainstorming*, ou do "olhar penetrante e límpido" de Guy Laliberté.

O que foi adicionado em problemas análogos resolvidos no passado foi *uma atmosfera enriquecida* — um princípio inventivo que Altshuller descobriu!

Você tem de adicionar elementos que tornem o ambiente mais estimulante em termos sensoriais. Pode fazer isso por meio de cores, ambiência, decoração, música, dança, descontração, odores... Você decide, mas tem de "enriquecer o ambiente".

É o mesmo princípio inventivo usado pela SouthWest Airlines (ver adiante). É o mesmo princípio inventivo que o varejo usa quando migra para modelos como o Starbucks. Um circo, uma loja de café e uma linha aérea. Conexões, certo?

ENRIQUEÇA A ATMOSFERA
ADICIONE ELEMENTOS SENSORIAIS À ATMOSFERA EXISTENTE

Nas mesmas circunstâncias — ou seja em problemas que envolvem o mesmo tipo de conflito/contradição, também é muito usado o seguinte princípio inventivo:

FAÇA OS ELEMENTOS EXISTENTES EXECUTAREM NOVAS FUNÇÕES ALÉM DAS QUE JÁ EXECUTAM — outro princípio inventivo de Altshuller!

Esse também foi usado pelo Cirque du Soleil e pela SouthWest (os artistas do Cirque du Soleil é que preparam um picadeiro para cada nova atração. Montam e desmontam equipamentos, reconfiguram cenários...).

Era previsível que fosse assim, pois o padrão de soluções inventivas mostra isso, mas o Oceano Azul não diz, deixa para você exercitar seu "olhar penetrante e límpido" e adivinhar.

Para a lacuna originada da contradição — "mais valor com custo mais baixo" — os princípios inventivos acima sempre são usados como rota de solução pelo INNOVATRIX. Uma vez feito isso, as pessoas da empresa — que são as que conhecem de verdade o negócio (não os consultores) — chegam rapidamente aos protótipos das soluções inovadoras com alguma orientação. Dá certo.

Na SouthWest você mesmo carrega sua mala. Você decide onde vai sentar, não há lugar marcado. Você sai do avião e faz outro *check in* porque os voos são ponto a ponto e, se você quer ir a um destino não servido pela SW, tem que se virar fazendo múltiplos *check ins*... Coisas que alguém fazia para você, você passa a fazer sozinho.

O nome técnico desse princípio inventivo é AUTOSSERVIÇO (Princípio inventivo 25). Ele também está sempre presente em modelos "baixo custo/alto valor".

Em 1930, o varejo de alimentos nos EUA era dominado por cadeias de armazéns — algo que não existe mais hoje. Naquele ano, um sujeito chamado Michael Cullen escreveu ao presidente da Kroger, a segunda maior empresa do gênero, propondo a criação de um novo tipo de "armazém", que considerava revolucionário, e pedia uma reunião para explicar seu conceito. Ele queria falar daquilo que mais tarde passaria a ser conhecido como supermercado. Sua argumentação era baseada no seguinte: seria possível baixar o preço das mercadorias se fosse introduzida uma mudança básica: reduzir drasticamente o trabalho dos atendentes no balcão.

Tente colocar-se no lugar de um consumidor daquela época. Antes do supermercado (o conceito que Cullen estava propondo) o cliente não comprava, as coisas eram vendidas a ele. Os preços não eram colocados nos produtos. Os produtos ficavam armazenados nos fundos das lojas, acessíveis apenas ao atendente. O atendente do balcão é que controlava a venda. Geralmente, ele empurrava ao cliente as marcas próprias do estabelecimento, que eram as que geravam as maiores margens de lucro. Nos supermercados, ao contrário, os clientes ficariam por conta própria. Como os preços eram marcados nas próprias mercadorias, e os produtos ficavam visíveis nas prateleiras, os consumidores podiam fazer suas próprias escolhas, sem pressão ou sem ter de admitir quando não tivessem dinheiro para comprar as marcas mais caras.

Supermercado nos anos 30, caixas eletrônicos 40 anos depois. Autosserviço de novo. Tudo igual. Os pioneiros na instalação de caixas eletrônicos de banco (ATMs) pensavam neles como uma forma de automatizar duas coisas: depositar e sacar dinheiro. Na verdade, os ATMs foram introduzidos quase que como punição para correntistas de baixo saldo médio. Os demais — o pessoal com dinheiro — seria "privilegiado" com o atendimento face a face nas agências. Mas a coisa ganhou uma dinâmica própria e os clientes em geral passaram a gostar muito mais dos caixas eletrônicos do que dos funcionários das agências. Todos os clientes — os ricos inclusive. Os ATMs eram muito mais convenientes, acessíveis 24 horas. Havia oportunidades de cortar custos que os bancos logo notaram, e, de repente, os ATMs explodiram formando uma rede à qual todo tipo de pessoa tinha acesso para fazer quase tudo: transacionar empréstimos, checar saldos etc. Então, à medida que a rede se expandia, aconteceu algo totalmente inesperado: os clientes não abriam mais mão dos ATMs, mas não se importavam com o banco. Isto é, a verdade predominante do mercado passou ser: "eu quero acesso aos ATMs, o banco não importa. Abro conta em qualquer banco que tenha ATMs." Note a ironia: uma inovação que tinha sido pensada para reforçar a imagem da marca (do Citibank) acabava destruindo a noção de marca. Só a interface era importante para o cliente, não quem estava por trás. Os bancos viram-se diante da ameaça de não ter mais clientes leais a eles, só à tecnologia dos ATMs.

O que se viu em seguida foi a (previsível) evolução das interfaces dos ATMs facilitando cada vez mais o autosserviço. Caixas eletrônicos são como supermercados — facilite minha navegação que eu faço sozinho. E note outro mandamento da inovação sistemática em ação aqui: “utilize recursos que já estão no sistema. Ponha-os para trabalhar para você” (os clientes, no caso).

Lançado o supermercado, a propaganda enfatizava: “pegue o que for melhor para você.” Foi um achado: escolhendo por conta própria, a dona de casa “média” acabava comprando mais do que compraria se tivesse de pedir ao atendente no balcão. O que começou quase que como um pedido de desculpas por não haver atendentes para ajudar na compra, acabou revelando-se uma tremenda arma competitiva. Mas o novo conceito trouxe desafios também. O operador da loja teve de começar a se preocupar com a técnica de expor mercadorias nas prateleiras, e com a orientação do cliente dentro da loja (ENRIQUEÇA A ATMOSFERA sensorialmente). Nas lojas tradicionais, só o atendente precisava saber onde a mercadoria estava. Nos supermercados, o cliente tinha que achá-la sozinho. Era um problema de navegação, certo? As lojas de departamento que tinham surgido primeiro, e os supermercados depois, funcionavam como portais em suas épocas: “entre aqui que você vai encontrar o que precisa”, mas o problema, já então, era saber onde estava o que você buscava — o mesmo problema dos grandes portais na internet hoje. O JOB que o Google realiza melhor do que ninguém.

Eis a recomendação: quando há pressões muito fortes para diminuir custos sem diminuir o valor, a rota de solução é a seguinte.

- Use os princípios inventivos: TIRE, AUTOSSERVIÇO, ATMOSFERA ENRIQUECIDA e INTRODUZA NOVAS DIMENSÕES SENSORIAIS.
- Use também a ferramenta TENDÊNCIAS DE EVOLUÇÃO. Em varejo, ela mostra claramente a evolução de sistemas de varejo rumo a um ESTADO FINAL IDEAL em que a EXPERIÊNCIA DA COMPRA é o foco. Voltaremos a isso.

4.1 Crie seu próprio Walmart

Alto valor com custo baixo? Inovação de valor?

A história do Walmart é a história da geração de dinheiro novo, dia a dia, desde 1962 quando foi fundado. O negócio deles é tirar custo — liberar dinheiro! — de todos os elos da cadeia de operações. Começou com a localização de grandes lojas, em cidades minúsculas (5 mil a 20 mil habitantes no interior dos EUA).

Enquanto competidores preferiam se concentrar perto das cidades grandes, as enormes lojas WM — localizadas a 4 ou 5 horas de carro dessas cidades — dominavam completamente o comércio local, impedindo concorrentes de entrarem. Eram espartanas, sem amenidades, sem ar-condicionado, sem carpetes. Eis mais uma contradição: quero muita gente em minhas lojas / mas não posso me localizar perto destas pessoas (o espaço nas cidades é caro).

Princípios inventivos em ação aqui: FAÇA O CONTRÁRIO / VIRE PELO AVESSO / TROQUE O *HARD* PELO *SOFT* (*THE OTHER WAY AROUND*).

Monte sua loja (*hard*) longe das pessoas que vão comprar nela atraindo-as via preço (*soft*). Daria para você ter descoberto sozinho uma inovação dessas?

Se você conhecesse o padrão histórico de inovações no varejo, e os princípios inventivos de Altshuller, poderia dar, por que não?

Ao contrário de outras inovações tipo "alto valor/custo baixo", o Walmart persegue desde seu primeiro dia a realização de um JOB TO BE DONE universal do varejo — "*quero coisa boa com preço baixo*".

O consumidor não dá a mínima para os custos que você possa ter como varejista, ele só se interessa pelo preço que vai pagar. Se você oferecer *coisa boa* (reconhecível por meio de uma boa marca) a preços muito mais baixos do que os demais, você ganha sempre. A chave de tudo é essa definição de "coisa boa".

"Coisa boa" só pode ser definida por meio da noção de JOB TO BE DONE. Coisa boa é aquilo que realiza, com o mínimo de inconveniências, um JOB que um cliente esteja tentando realizar. A versão clássica da TRIZ não considera o JOBs TO BE DONE, considera a FUNÇÃO do produto porque sua visão é de engenharia, de artefato.

Na visão tradicional você considera tipos de carros, por exemplo: SUV, compactos, minis etc. Na nossa visão não há carros, há JOBs. O SUV realiza o JOB de transportar a família toda em segurança. O mesmo cara que tem um SUV pode ter também um mini para ir ao trabalho, pois o JOB muda para "quero um carro ágil, fácil de manobrar e estacionar na cidade". O que define o produto é o JOB. O que define o JOB é a circunstância da pessoa. O modo pelo qual vive sua vida dia a dia.

"Coisa boa a preço baixo" é um JOB eterno.

O autosserviço em supermercados apontou isso. Os primórdios desse conceito, ou melhor, desse modelo de negócio, registram episódios assim:

> Quando entrou no Perlmutter Market em Moline, no estado de Illinois, Matt Hooley, um varejista experiente, viu pela primeira vez um conceito revolucionário — o self-service. Os fregueses empurravam carrinhos de compras feitos de arame entre as prateleiras, pegando mercadorias por conta própria. Matt ficou intrigado com esse novo conceito, mas temia que seus fregueses, acostumados com o processo tradicional, se recusassem a fazer as compras assim. Perguntou então ao dono: "Por que o senhor acha que o freguês aceita sair empurrando esse carrinho?". Ao que Perlmutter respondeu: "Está vendo aquela pilha de sabonetes Tide? Custa 29 *cents* por caixa aqui. Sabe qual é o preço na cidade? 59 *cents*. Com essa diferença, eles até rastejam sobre vidro moído para comprar aqui."

Sam Walton entendia tudo de varejo. Seu mantra era "compre muito, empilhe alto e venda barato" — ele sabia que escala era fundamental. Para vender barato você tem que comprar muito, tem que ter muito o que oferecer, tem que ser grande.

> À medida que ficava evidente o sucesso daqueles comerciantes caipiras do Walmart, eles começaram a se aproximar mais dos grandes centros. Tinham uma obsessão quase neurótica por aumentos de eficiência na operação, pois isso diminuiria custos e lhe permitiria cobrar menos. Sam Walton buscava oportunidade para isso em tudo. Era pão-duríssimo, mas a empresa foi a pioneira em tecnologias sofisticadas para aumentar a velocidade do fluxo da informação em sua cadeia. No varejo, informação precisa na hora certa é a chave para maximizar as vendas e baixar os custos. Quanto melhor for sua informação sobre o que está vendendo e o que não está, mais competente você vai ser para escapar dos dois maiores perigos dessa atividade: estoque de menos e estoque demais. Ambos significam que você está perdendo dinheiro. Foi aí que o Walmart inovou para valer.

Contradição: quero vender muito e não quero ter estoque.

Princípio inventivo em ação aqui: "Faça fluir" / Crie fluidez nas ações destinadas a produzir o *output* que você deseja (clientes saindo de suas lojas com carrinhos de compras abarrotados). O nome que a inovação sistemática dá a esse princípio inventivo é CONTINUIDADE DA AÇÃO ÚTIL. Quer dizer o seguinte: atue para não permitir gargalos nas atividades essenciais.

Ao "engenheirar" a sincronia entre a informação ("o consumo de cerveja aumentou") e as atividades associadas a essa informação ("produza mais cerveja") você libera dinheiro que estava preso. Não entendeu? Olha só.

Nas transações comerciais há sempre dinheiro preso implorando para ser libertado. Como assim? O dinheiro fica preso em ineficiências, gargalos e fricções que existem entre as sequências de atividades que qualquer empresa (e seus fornecedores) têm de desempenhar para fazer o que fazem. Conceber, projetar, produzir, vender, entregar e dar suporte àquilo que vendem. Toda empresa faz isso, independentemente do setor em que atue. Quanto mais ágil (fluido, sem atrito) for o fluxo de informações e atividades entre os elos dessa cadeia, mais dinheiro a empresa ganha, porque menos dele fica preso nas ineficiências do caminho. Por exemplo: eu saio para comprar minha cerveja favorita, mas me informam que ela está em falta, o distribuidor não entregou esta semana. O fabricante está deixando de ganhar dinheiro porque há algum gargalo na cadeia que traria seu produto até mim. Pode ser que esteja faltando alumínio para as latinhas, pode ser que o fabricante não esteja dando conta de um aumento de consumo, pode ser que o distribuidor é que não tenha se preparado providenciando mais caminhões para a entrega. Pode ser um monte de coisas em vários elos da cadeia. O fato é que o gargalo esteja onde estiver, está prendendo dinheiro. O mesmo estaria ocorrendo se o fabricante tivesse produzido cerveja demais, excedendo à demanda. Ela ficaria encalhada e o varejista teria de dar descontos para minimizar o prejuízo. Em ambos os casos o dinheiro está sendo perdido pela falta de sincronia entre a oferta de alguma coisa e a demanda por essa coisa. Se eu só fico sabendo dos gargalos depois que eles já ocorreram eu já perdi dinheiro. Ou, pior, se eu considero que os gargalos são da natureza intrínseca daquela atividade e nada pode ser feito contra eles, eu estou perdendo dinheiro permanentemente. É nesses cenários que surgem os inovadores para libertar um dinheiro preso que outros achavam que ninguém jamais conseguiria libertar.

À medida que crescia, o Walmart localizava suas novas lojas de modo que cada uma estivesse a uma distância razoável de um polo de distribuição centralmente localizado. A empresa tinha adotado um sistema de comprar mercadorias em grandes quantidades, direto dos fabricantes, armazená-las em enormes centros de distribuição, e fazê-las sair de lá rapidamente para as lojas, que eram abastecidas várias vezes por semana. Fazer as mercadorias fluírem com rapidez reduzia os custos de estocá-las, não é óbvio? O Walmart percebeu, antes de qualquer outro, que lucro no varejo vem da fluidez: chegou — vendeu — chegou — vendeu... Os custos baixavam também porque os caminhões da empresa saíam sempre cheios dos depósitos para as lojas. Caminhão meio cheio — como hotel meio cheio, como hospital meio cheio, como avião meio cheio... — significa que você só está ganhando meio dinheiro. Bom mesmo é ganhar dinheiro inteiro. Dinheiro cheio.

Princípios inventivos em ação aqui: CONTINUIDADE DA AÇÃO ÚTIL, TROQUE O HARD PELO SOFT, SUBSTITUA MASSA POR INFORMAÇÃO.

Exatamente os mesmos princípios que a FEDERAL EXPRESS usou para revolucionar a entrega de encomendas, a CEMEX usou para fazer o mesmo na indústria do cimento e concreto, e a Zara em moda...
O Walmart pensava: por que a mercadoria precisa vir do fabricante, ir para um depósito, ficar lá durante um tempo e só depois ir para as lojas? Inventou um sistema em que a carga de mercadorias que vinha do fabricante nem ia para o depósito, era passada direto para os caminhões que as levavam para suas lojas Walmart de destino (o nome disso é *cross-docking*, uma das muitas inovações operacionais do Walmart que hoje todo mundo usa).
Por causa dessa busca obsessiva por movimentos sincronizados, perfeitos como num balé, os caipiras de Bettonville foram pioneiros no uso de várias tecnologias. Há décadas, já tinham

satélites de comunicação para isso. Foram os primeiros no uso de scanners de mão nos caixas (em 1983) que transmitiam informação diretamente da loja para os escritórios da empresa e para certos fornecedores-chave como a Procter & Gamble (muito tempo antes da internet). Assim, as lojas poderiam ser reabastecidas sem demora, com base em informação em tempo real. Você já entendeu. O tempo de reposição de estoques no varejo, impulsionados por essas práticas que o Walmart introduziu, caiu de meses nos anos 1950, para semanas em 1970 e para, praticamente, tempo real nos anos 1990!! Tá certo que não é charmoso como os caras na garagem, mas...
Vinte e quatro horas depois dos ataques de 11 de setembro, ninguém mais achava bandeiras dos EUA para comprar em lugar algum que não fosse uma loja WM. Prevendo o surto patriótico que se seguiria, algumas horas depois eles já tinham comprado, recebido e distribuído todas entre suas lojas. Alguém falou em fluidez aí?

A descrição mais vívida das operações do Walmart é de Thomas Friedmann em *O mundo é plano* (2009). Falando do que ocorre num centro de distribuição da empresa:

> *... de um lado, um sem-número de caminhões brancos do WM descarregavam caixas de mercadorias de milhares de fornecedores diferentes. Caixas de todos os tamanhos eram depositadas em esteiras rolantes em cada ponto de carregamento, e as esteiras menores desembocavam todas noutra maior. Pequenos afluentes de um grande rio. Vinte e quatro horas por dia, sete dias por semana, os caminhões dos fornecedores abastecem os 20 km de esteiras secundárias, que, por sua vez, alimentam o grande rio principal de caixas cheias de produtos. Mas isso é só metade do espetáculo. Enquanto o rio do Walmart corre, uma célula elétrica lê os códigos de barra de todas as caixas. Chegando ao outro extremo do prédio, o volumoso caudal volta a dividir-se em*

uma centena de regatos, nos quais braços elétricos separam as caixas conforme as lojas de destino, e conduzem cada uma para sua respectiva esteira rolante; esta transportará aqueles produtos até o caminhão que os espera para levá-los para as prateleiras de um WM em algum ponto dos EUA. Lá, um cliente vai pegar um desses produtos e levá-lo para o caixa onde seu código de barras será lido por uma leitora ótica; neste exato momento será gerado um sinal que vai atravessar toda a rede do Walmart e chegará ao fornecedor daquele artigo — quer ele se localize no Maine ou no litoral da China. O sinal vai piscar na tela do computador do fornecedor, dizendo-lhe que fabrique outro item daqueles e o envie pela cadeia de fornecimento, reiniciando todo o processo outra vez. Assim, basta o cliente tirar o produto de uma prateleira do WM e passá-lo pelo caixa, para outro braço mecânico começar a fabricar seu substituto em algum lugar do mundo.

É uma verdadeira sinfonia Walmart em vários movimentos — só que sem um finale. *A sinfonia vai se repetindo, repetindo, 24 horas por dia, sete dias por semana, 365 dias por ano: entrega seleção, embalagem, distribuição, compra, fabricação, novo pedido, entrega, seleção, embalagem...*

Eis o resumo da coisa: para realizar o JOB "quero coisas boas e baratas", o Walmart adicionou novos princípios inventivos ao repertório usual do varejo para nortear soluções inovadoras. Além de levar AUTOSSERVIÇO a extremos, introduziu FLUIDEZ (CONTINUIDADE DA AÇÃO ÚTIL) e TROQUE O *HARD* PELO *SOFT*.

> Repare que para um negócio desse tipo, a eliminação de conflitos entre RECURSOS externos (via parcerias e integração com fornecedores) e recursos internos da própria empresa é essencial (se não, você não mantém custos baixos). Os RECURSOS do modelo de negócios têm de ser usados em PROCESSOS que definam relações ganha-ganha com os agentes externos. Eles são parte central do modelo (lembre-se do iPod, iPhone, Kit Nike + iPod...).

É o princípio inventivo JUNTE (MERGE) de novo. Enquanto há possibilidade de melhorar a funcionalidade da oferta para realizar melhor o JOB, não se preocupe demais com "conveniência". Cuide para que a oferta tenha requisitos mínimos de conforto e comodidade, mas o essencial são os fatores que determinam preço, pois preço está no JOB.

O Walmart trabalha permanentemente para identificar lacunas nos processos internos e diminuí-las. É uma fonte extraordinária de melhoria operacional contínua e de inovação sistemática, ao mesmo tempo.

O *tool kit* da inovação sistemática não despreza a melhoria contínua. Claro, não poderia, pois processos que otimizem os recursos da empresa são essenciais para a montagem de modelos de negócio inovadores.

> O capítulo 5 tratará de ferramentas para eliminar conflitos internos entre PROCESSOS e RECURSOS nas empresas. Vamos ver que há 31 pares de parâmetros que podem estar em conflito numa empresa (ex.: quero mais qualidade no atendimento/não quero treinar mais os atendentes).

Se o seu problema de inovação tem a ver com "menor preço todo dia", como o Walmart, você pode se nortear pelo que essa empresa fez e usar os mesmo princípios inventivos. É um caso completo de 50 anos de inovação sistemática. Sem genialidade, mas muito bacana para quem se interessa por dinheiro novo.

Os princípios que nortearam a evolução do modelo de negócios do Walmart (que fatura hoje mais de 1,1 bilhão de dólares por dia) são conhecidos, as ferramentas também.

Como sincronizar movimentos para eliminar gargalos? Conecte-se direto a seus fornecedores para que as peças cheguem à linha de montagem no momento em que serão usadas. Separe as operações no tempo. Busque dia a dia o aumento da eficiência das operações em todos os elos. Walmart? Não. Toyota.

> No Japão pós-guerra, a Toyota era uma empresa minúscula sem espaço físico e sem dinheiro. Competir com as "gigantes de Detroit" — GM, Chrysler e Ford — nem pensar. Sem poder produzir ela mesma as partes de seus automóveis, tinha de contar com fornecedores. Como não tinha nem espaço nem dinheiro para guardar estoques, teve de aprender a operar sem eles. Com fornecedores, a Toyota construiu um sistema baseado em confiança mútua. Quanto melhor eles entendiam o que a empresa queria fazer, melhor poderiam direcionar seus esforços para isso. A coisa mais "Walmart" aqui foi a violação da regra que diz que você tem de ter estoques de componentes esperando a hora de serem usados na montagem de um carro.

Aqui atuou um princípio que a inovação sistemática chama de princípio da SEPARAÇÃO NO TEMPO, que, aliás, o Walmart também usa: "tenha as coisas à mão no momento exato em que precisar delas, nem antes, nem depois."

> Estoque, como em outros setores, era visto como um mal necessário. Isso acontecia porque o processo de produção era imprevisível. Nunca se sabia o momento exato em que certa peça ou componente seria usado. Era melhor ter excesso de peças em estoque para usar quando fosse a hora do que correr o risco de ter de parar a produção por falta, digamos, de sistemas de freios. Toda hora a produção era interrompida por ineficiências que eram consideradas intrínsecas ao processo de se montar carros. Estoque é dinheiro preso, lembre-se. A grande inovação da Toyota foi tornar o processo de produção previsível, de modo que seus fornecedores pudessem entregar as peças no momento exato em que elas fossem necessárias, nem antes nem depois. Para isso,

os operários teriam de ter a liberdade de interromper a produção toda vez que um problema fosse notado, impedindo que o processo fosse até o fim só para ter de jogar fora um produto defeituoso. O que a Toyota fez foi gerenciar o fluxo de informações dentro da sua linha de montagem (colaboradores) e fora dela (fornecedores) de modo a permitir que as coisas fossem feitas em tempo real. Bastante "Walmart", não acha?

Princípios inventivos em ação aqui: CONTRABALANCE, AÇÃO PRÉVIA, QUALIDADE LOCAL.

4.2 Crie sua DELL

Pensar uma empresa como uma cadeia de atividades cujos elos devem ser sincronizados via informação é fundamental para produzir os maiores volumes de dinheiro novo hoje. Os cursos de administração — essa fantasia que não nos cansamos de criticar — deviam partir dessa visão de empresa, mas preferem concepções do século XIX.

Como os produtos/serviços tendem a tornar-se cada vez mais parecidos (todo carro 1.000 é igual a qualquer outro carro 1.000; todo PC é igual a qualquer outro PC...) você tem de tentar liberar dinheiro em elos da cadeia que não o produto em si. Hoje, em grande parte dos setores da economia, todos têm "o melhor produto". A Microsoft e a Intel, por exemplo, ganham mais que os produtores de PCs dominando "pedaços" dentro do elo *produção* — o sistema Windows e o microprocessador Intel. A DELL liderou em PCs dominando os elos *venda* e *entrega* da cadeia. Montou um sistema que lhe permite gastar muito menos que seus competidores nesses elos para fornecer o mesmo produto (todo PC é igual). Sobra mais dinheiro para ela.

Por que não vender PCs diretamente para os consumidores finais cortando o elo *distribuidores* da cadeia? O PC é um produto padronizado. É só você me dizer o que quer em termos de memória, capacidade do HD etc. que eu monto e entrego um PC quase como faço um hambúrguer. Depois de receber o pedido (e o dinheiro) a DELL compra os componentes e monta o computador, me entregando tudo em 2 dias. É claro que tem que haver um sistema que ligue e sincronize o pedido com os fabricantes de componentes e com o processo de entrega. Tem que ser tudo fluido, sem gargalo. Sem vendedores a quem teriam de pagar comissão, sem necessidade de fábricas e equipamentos, sem investir em pesquisa e desenvolvimento, os custos da DELL têm sido, historicamente, bem mais baixos que os dos concorrentes. RECURSOS e PROCESSOS bem integrados, sem conflitos, para realizar o JOB "produto bom e barato". Fabricando em tempo real, a DELL se livra daquele fantasma do estoque. Não há risco de ficar sentado em cima de uma grande quantidade de PCs que encalharam. Não há risco de faltarem PCs quando alguém quer comprar. Vender direto possibilitou à DELL um conhecimento que suas competidoras não tinham. Sua ligação direta com os consumidores fez com que ela detectasse em primeira mão o que eles queriam e quando queriam. Com essa informação, ela pôde construir parcerias com fornecedores para garantir a entrega *just in time*. A inovação que a DELL introduziu, matou uma série de empresas que se dedicavam a distribuir PCs e que, juntas, representavam cerca de 75 bilhões de US$ em 2000. Desse dinheiro que estava preso nesse período, a DELL deve ter ficado com a maior parte.

Princípios inventivos em ação aqui: TAKE OUT, SEPARAÇÃO NO TEMPO, AÇÃO PRÉVIA.

4.3 Crie sua CEMEX

Entrega de concreto pré-misturado. Nisso, a líder é a CEMEX (Cementos Mexicanos). Entregar concreto no tempo certo, numa construção em Guadalajara (sede da empresa) era um milagre.

Engarrafamentos, estradas péssimas, compradores que não podiam receber na hora que disseram que poderiam, tudo fazia com que a taxa de entregas no tempo certo fosse menos de 35%. Para piorar: cada remessa não dura mais de 90 minutos no cilindro rotativo do caminhão.

Hoje a CEMEX promete entregar concreto mais rápido que pizza. Seus executivos estudaram a Federal Express, em Memphis, uma operação montada em torno da entrega de produtos perecíveis em qualquer lugar do mundo. Ficaram maravilhados com a utilização precisa de sistemas de informação. Foram visitar a central de atendimento do corpo de bombeiros em Houston. Os bombeiros respondiam a casos de ataque cardíaco, incêndios, alarmes falsos, e emergências de toda sorte. Sempre havia um número adequado de ambulâncias e paramédicos para cada local da cidade. O pessoal da CEMEX concluiu que o sistema funcionava porque, apesar de imprevisíveis individualmente, as emergências permitiam que fosse planejado um padrão de atendimento. Resolveram adotar o lema: "se não chegar na hora, você não paga." A mesma promessa da Domino's Pizza. Era o cliente que fixava o prazo de entrega. Os caminhões ficam liberados para rodar por toda a cidade, gerenciados por um sistema de informações que cruza sua localização com os pedidos e o local em que a encomenda deve ser entregue, tudo levando em conta as condições do tráfego. Foram equipados com transmissores e receptores conectados a um sistema de localização por satélite. Informação precisa disponível a todos os motoristas e despachantes, que podem decidir o que fazer direcionando o pedido para o caminhão mais bem posicionado para fazer a entrega.[5]

Princípios inventivos em ação: SEPARAÇÃO NO TEMPO, SEPARAÇÃO NO ESPAÇO e AÇÃO PRÉVIA usados para nortear a eliminação da contradição envolvida na entrega de concreto *on demand*.

[5] Kevin Kelly em *New Rules for the New Economy*.

Diminua a distância física entre o produto e o consumidor desse produto. Isso equivale às soluções logísticas do Walmart com *cross-docking* e centros de distribuição.

4.4 Crie seu Google

Qualquer empresa vitoriosa na web (Google, Amazon, etc.) rompe uma contradição que chamamos de "conflito riqueza X alcance".

Se sua oferta quer chegar ao comprador com uma característica que chamamos "riqueza", ela não pode ter, ao mesmo tempo, uma outra característica que chamamos de "alcance". Explicando:

- Se você quer atingir muita gente — via um anúncio de TV, por exemplo — você quer "alcance", então não poderá entrar em muitos detalhes sobre o que quer vender (a informação terá de ser "pobre"). Você terá de concentrar sua mensagem em spots de 30 segundos no máximo, senão, não conseguirá pagar. Tudo o que essa atividade chamada "propaganda" faz é destinado a comprimir a maior quantidade possível de informação no menor tempo, para fugir desse conflito eterno: ou riqueza ou alcance.
  O Walmart quer multidões em suas lojas (alcance) e, portanto, não pode dar atenção muito personalizada a ninguém (riqueza).
- Personalização (contato rico) não pode existir para grupos de muitas pessoas (alcance).

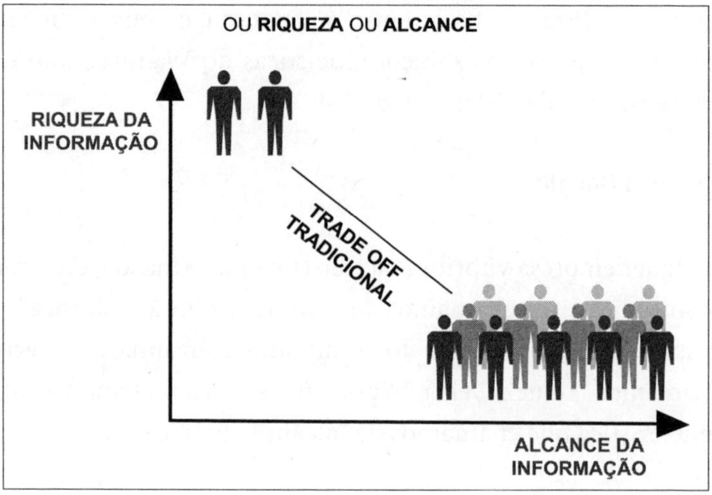
OU RIQUEZA OU ALCANCE
RIQUEZA DA INFORMAÇÃO
TRADE OFF TRADICIONAL
ALCANCE DA INFORMAÇÃO

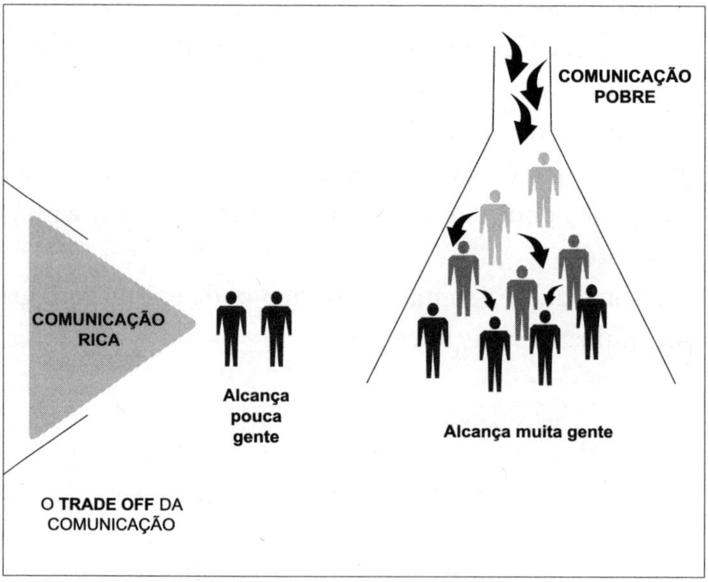
COMUNICAÇÃO POBRE
COMUNICAÇÃO RICA
Alcança pouca gente
Alcança muita gente
O TRADE OFF DA COMUNICAÇÃO

- Contato rico (você se consultando com seu analista) deve ser sempre individual (alcance limitado).
- Web (e, antes dela, o telex, o telefone, a estrada de ferro etc.) ajuda a diminuir esse conflito e a mover os sistemas de marketing para seu estado final ideal: riqueza infinita junto com alcance infinito.

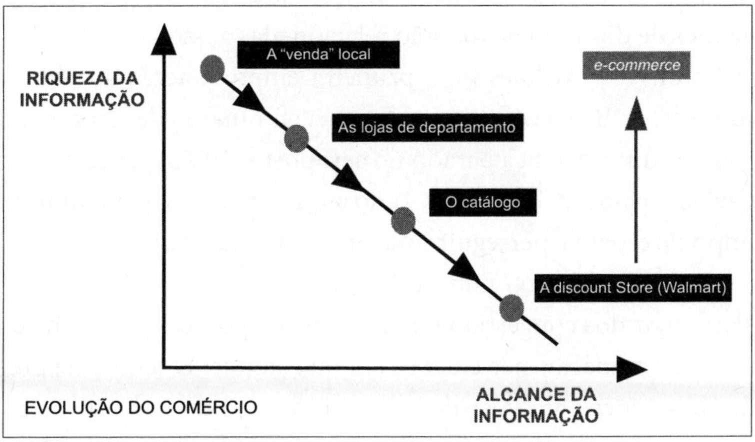

A figura 14 ilustra esse *trade off* dando como exemplo da evolução do comércio ao longo do tempo. Isso ilustra muito bem uma das ferramentas do *tool kit* da inovação sistemática: a evolução rumo ao estado final ideal, se dá pela obtenção de riqueza e alcance ao mesmo tempo.

O Google eliminou em boa parte essa contradição (deu um chega prá lá em fontes tradicionais para captura de informação como o livro, o relatório, a biblioteca, o especialista). O comércio eletrônico é isso também: a diminuição da contradição "riqueza X alcance".

Há um princípio inventivo (Princípio inventivo 35 — MUDE OS PARÂMETROS) que sugere que modifiquemos os parâmetros físicos envolvidos numa transação — mude do real para o virtual — poderíamos dizer. Troque o *hard* pelo *soft*. Com a web, adeus contradição.

4.5 Crie sua SouthWest Airlines

O JOB que ela realiza é: avião a preço de ônibus. É uma variante de "coisa boa e barata", um JOB universal, principalmente se há muita gente que não consome as ofertas existentes. Um mercado de não consumidores, digamos.

Este JOB (bom e barato) é a marca registrada do mundo global. No Brasil, com milhões de pessoas entrando no consumo, grandes oportunidades de dinheiro novo estão relacionadas a isso.

A SouthWest Airlines foi a primeira empresa aérea do mundo a realizar este JOB. Ela colocou seu foco na eliminação de um gargalo: o tempo que um avião fica parado no aeroporto. Avião que gera dinheiro é avião voando, não no chão. Tudo o que a SW faz é para minimizar o tempo de espera e perseguir uma operação mais fluida tipo: pousou / voou / pousou / voou / pousou / voou.

Para fugir dos congestionamentos, só voa ponto a ponto entre aeroportos secundários nas cidades em que atende. O tempo de preparação dos aviões para voar de novo é um terço do dos concorrentes (15 minutos contra 45 minutos dos demais nos EUA). Seus aviões são padronizados para evitar muitas variantes para a manutenção. Não tem refeições de bordo, o que reduz o tempo de preparação para a decolagem. Para que o embarque seja mais rápido, não há assentos marcados. Não há conexões com outras linhas aéreas. Você mesmo carrega sua bagagem. Os custos da SW são 40% menores que os das concorrentes. A empresa (que inspirou a brasileira Gol e outras como a Ryanair e a JetBlue) é a líder mundial em lucratividade.

Princípios inventivos: SEPARAÇÃO NO TEMPO e SEPARAÇÃO NO ESPAÇO.

Nunca esqueça: a realização dos JOBs envolve múltiplos aspectos, e eles são cruciais para um sucesso minimamente sustentável. Para realizar o JOB é que a SW escolheu atividades que se complementam de modo coerente: alta rotatividade, aeroportos secundários, sem refeições, sem conexões...

É errado dizer que a SW deu certo porque eliminou gargalos. Ela eliminou gargalos porque essa é a forma de se ganhar dinheiro quando você quer realizar o JOB "bom/barato". Para isso tem que romper as contradições e conflitos associados à realização do JOB. Se não há contradições não há oportunidade para inovar.

Os *outcomes* associados à realização do JOB são as métricas para sabermos se vamos ou não ter uma inovação. Alguém pode realizar o mesmo JOB, mas de forma menos consistente ou menos conveniente. Por exemplo, se houver atrasos demais nos voos pode ser que o cliente considere ônibus mais conveniente.

Nos anos 60 uma linha aérea chamada People Express tinha tentado um conceito semelhante ao da SW, mas quebrou por não conseguir manter sob controle esses aspectos *soft* que definem consistência no ato de voar.

O McDonald's realiza com consistência o JOB "comida boa e barata" a mais de 50 anos. Walmart, DELL, etc. fazem a mesma coisa. É o JOB que define os processos, não o contrário.

4.6 Crie sua própria Zara

Em moda, rapidez é o nome do jogo.

As empresas têm que conceber seus novos designs e articular a fabricação e distribuição de seus produtos para cada estação, em ciclos que variam de 8 a 12 meses.

É um negócio arriscado. É preciso antecipar as tendências do que estará na moda, produzir e distribuir rápido, e rezar para emplacar um grande *hit*. O risco é ter de adivinhar coisas demais.

Frequentemente, as empresas veem seus lançamentos encalharem e têm que dar descontos para desovar produtos encalhados antes de lançarem as coleções da próxima estação.

Todos os competidores tentam reduzir custos fabricando na China ou Índia.

A Zara ganha dinheiro fugindo o mais que pode disso.

Montou um sistema capaz de fazer o produto sair das pranchetas dos estilistas para as prateleiras das lojas, em um prazo que, no início, se media em semanas, e hoje se conta em poucos dias. É tudo rápido demais. Ela nem tenta fazer previsões precisas das tendências. Aposta num certo padrão de design, produz e bota pra vender.

Exemplo: se a Angelina Jolie ou outra celebridade aparece em público com um vestido bacana, os estilistas da Zara se inspiram nas tendências que identificam no modelo que ela veste — cores, design etc. —, e em pouco tempo as produções Zara *à la* Jolie estão nas lojas.

Não se tenta adivinhar, oito meses à frente, o que os clientes poderiam vir a querer. É uma operação cara. A maioria das fábricas é localizada na Espanha onde os custos são mais altos que na Ásia, mas isso é necessário para permitir a fluidez no sistema. Os concorrentes da Zara precisam de meses para fazer o que ela faz em semanas. Fabrica poucas peças e vende tudo quase sempre a preço cheio (aproximadamente 80 por cento dos produtos são vendidos com preço cheio, duas vezes a porcentagem de seus concorrentes). A fluidez da operação permite à Zara fixar seus preços em aproximadamente 25 por cento menos do que marcas competidoras. O ritmo significa que alguns itens populares aparecem e desaparecem em uma semana. Cria-se um senso de escassez: "vamos correr para comprar, se não acaba". Se não está vendendo, para-se a produção, e corta-se o prejuízo sem necessidade de grandes demarcações.

Princípios inventivos: FAÇA FLUIR, CONTINUIDADE DA AÇÃO ÚTIL, COPIE.

4.7 Crie sua Benetton

Benetton é como Zara. Como você rompe o conflito: "tenho que ser rápido em meus lançamentos / não posso ser rápido porque não sei quais as cores estarão na moda"?

A maior incerteza é sempre em relação às cores que estarão na moda em cada estação. Então, a Benetton passou a produzir suas peças descoloridas deixando o processo de tingimento para o último momento. Assim realizavam todas as etapas anteriores da produção até que as cores da estação tivessem emergido. Só aí tingiam as roupas.

Princípio inventivo: AÇÃO PRÉVIA.

Só para reforçar o entendimento do método: essa contradição da Benetton é localizada na "matriz de contradições" como sendo uma contradição entre "tempo de produção" e "versatilidade".

A análise de outros casos mostra que AÇÃO PRÉVIA é uma estratégia comum para resolver esse tipo de problema. A matriz reflete isso mostrando esse princípio como sendo a rota mais promissora para a solução.

Veja que conexão interessante sobre o princípio AÇÃO PRÉVIA:

> Os cérebros dos fetos humanos são programados pelos genes de forma tal que após o nascimento ele possa se remodelar, interagindo com o ambiente e aprendendo coisas. Logo após o nascimento, a experiência sensorial — luz, vozes, sons — vai remodelando fisicamente o cérebro num ritmo frenético. Isso quer dizer: antes de nascer, os genes têm uma estimativa de como o cérebro deverá estar conectado internamente para poder dar conta, "no futuro", de coisas como visão, audição e fala. Assim providenciam um "pré-programa" com o qual chegamos ao mundo. Após o nascimento, os estímulos que o cérebro recebe confirmam algumas dessas expectativas, desconfirmam outras, inventam novas. Trilhões de novas conexões são criadas. As que

não são usadas são simplesmente eliminadas. O cérebro está aprendendo, e nesse processo, cresce, se torna complexo.

O cérebro humano é extraordinariamente plástico. A seleção natural talvez tenha tentado nos fazer nascer com cérebros maiores, mas não deu. Não foi possível providenciar na anatomia feminina um canal largo o suficiente para permitir a passagem de crânios do tamanho que a seleção natural gostaria.

Trata-se de um conflito de engenharia. Deve ter havido um tremendo número de mães (e bebês) que morreram, até que se chegou à solução que usamos hoje: fazer as crianças nascerem com o maior cérebro possível que não comprometa nem mãe nem bebê, e providenciar o restante do seu crescimento e estruturação após o nascimento, através de um longo período de aprendizado.

Este é um dos 40 princípios inventivos que Altshuller descobriu analisando patentes de engenharia — o nome dele é SEPARAÇÃO NO TEMPO.

A infância nos humanos dura mais que em qualquer outra espécie de mamífero. Humanos tornam-se humanos através de um intenso aprendizado, não apenas de competências para sobreviver, mas também de linguagem, costumes, cultura.

É o mesmo princípio inventivo aparecendo: AÇÃO PRÉVIA — prepare tudo antes para que o sistema opere bem e para que as operações finais possam ser realizadas o mais tarde possível. *Just in time*, para que o funcionamento seja adequado.

Richard Leakey escreveu em *The Origins of Human Kind*: "um cálculo simples baseado em comparações com outros primatas revela que o período de gestação para o *Homo sapiens*, que atinge um cérebro médio de 1.350 centímetros cúbicos, deveria ser 21 meses, não nove como ocorre. Por isso eles são tão indefesos, tão dependentes ao nascer. Por que isso acontece? Por que a natureza expõe os humanos ao risco de terem de nascer tão cedo? A resposta é o cérebro."

É o que vimos: o que ocorre com outros "macacos" antes do nascimento, conosco ocorre depois. Tudo por causa do problema de engenharia representado pela abertura do canal pélvico nas fêmeas humanas, que não permitia que nosso cérebro chegasse ao tamanho que devia. Note uma coisa: a seleção natural não estabeleceu um compromisso, rompeu a contradição. Os humanos têm cérebros grandes e cérebros pequenos. Crânios pequenos o suficiente para passar através do canal pélvico (385 cm^3), e, anos depois, grandes o suficiente para possibilitar todas as funcionalidades que um cérebro adulto precisa ter (1.350 cm^3). Bebês não vêm ao mundo completamente "em branco", como algo a ser totalmente programado pelo ambiente, nem como autômatos pré-programados geneticamente. O que acontece depois do nascimento não é uma competição, mas uma dança entre os genes "de dentro" e as influências "de fora" do cérebro.

4.8 No Brasil, crie sua Casas Bahia

Financiamento para pobre. Quem consegue oferecer tem um mercado enorme: milhões de brasileiros estão entrando no consumo desde 1994 (plano Real). O mercado da Casas Bahia é a base da pirâmide nos centros urbanos — gente que não tem renda consistente: empregadas domésticas, biscateiros, camelôs, operários da construção civil. A Casas Bahia realiza para essas pessoas um JOB carregado de conteúdos social e emocional: "quero ter os produtos que minha patroa tem em casa."[6]

Samuel Klein (o fundador) aprendeu muito cedo que existe um mercado na BP (base da pirâmide) e a chave para esse mercado é a criação da "capacidade de consumir". Introduziu o

[6] Do livro *A fortuna na base da pirâmide*, de C. K. Prahalad.

financiamento como forma de fazer com que os consumidores na base da pirâmide comprem. No processo, inventou a combinação do varejo com serviços financeiros: produtos de consumo e financiamento àqueles que são muito pobres e com trabalho irregular e, portanto, com fluxos de renda irregulares.

Teve que inventar o fundamento para a análise de crédito e para o gerenciamento de risco na base da pirâmide, onde a maioria dos clientes não tem histórico de crédito ou emprego regular. Para cortar os custos a Casas Bahia investiu numa logística excelente, administrando alguns dos maiores depósitos e uma das maiores frotas de entrega do mundo.

Na nossa forma de ver o mundo empresarial, *estratégia* é sinônimo de *modelo de negócio*. Sabemos que há visões acadêmicas que estabelecem diferenças entre essas ideias, mas não as achamos importantes. Se você quer ganhar dinheiro inovando não perca seu tempo com esse tipo de discussão. Ambos os conceitos significam:

Criar compatibilidade entre as atividades escolhidas para realizar o JOB. Se não houver compatibilidade entre as atividades — se elas não se complementarem reforçando-se mutuamente — não existirá estratégia nem modelo de negócio, e a sustentabilidade será mínima.

Criar uma posição exclusiva e valiosa, envolvendo um conjunto único de atividades para realizar um JOB que um certo público esteja querendo realizar. Ou seja: tem que haver a eliminação de contradições entre atividades para tornar essas atividades compatíveis entre si.

Conseguir recursos e, com eles, escolher os processos certos para realizar um JOB.

Todos os exemplos que vimos — Walmart, SouthWest, Toyota... — mostram que isso é assim, portanto não nos chame para discussões acadêmicas, por favor.

Quais são as atividades que a Casas Bahia desempenha para realizar o JOB demandado pelo público que escolheu? Atividades que a tornaram tão única e, na nossa opinião, a mais notável das inovações brasileiras?

Elas são as seguintes:

a) O cliente tem de ir à loja o mais frequentemente possível.

A CB foi a última grande varejista a aceitar cartão de crédito porque não teve jeito, mas sempre soube que isso era uma ameaça potencial à solidez de seu negócio. Um fator-chave para o sucesso da CB sempre foi o relacionamento contínuo e íntimo que ela sabe criar com seus clientes na loja. Outras instituições de crédito (bancos) não sabiam fazer isso "com pobre".

Princípio inventivo: ENRIQUEÇA A ATMOSFERA via contato "rico" nas lojas.

b) Venda cruzada. Quando você se relaciona continuamente com alguém, sabe se essa pessoa é confiável ou não. Se não for confiável, você a elimina do seu relacionamento, mas, se for, você oferecerá sempre algo novo para ela comprar. Relacionamento contínuo = fluxo de vendas contínuo.

Princípio inventivo: AUTOSSERVIÇO. Um elemento do sistema (um cliente) trabalhando para aprimorar o sistema.

c) Crédito concedido (em boa medida) com base em julgamento pessoal. Isso é feito pelos analistas de crédito nas lojas. Eles não usam apenas sistemas automáticos de avaliação de crédito, mas são treinados para avaliar o risco usando formas mais subjetivas também.

Note como essa atividade só pode ser desempenhada se eu for à loja conversar para conseguir o crédito e continuar indo todo mês pagar minhas mensalidades.

Princípios inventivos: FAÇA O CONTRÁRIO / TROQUE O *HARD* PELO *SOFT* / MUDE OS PARÂMETROS DO SISTEMA.

d) Produtos da mesma qualidade dos das classes A/B. A CB realiza sonhos de consumo de gente pobre. Este é o JOB. Essa é sua missão. Mas é totalmente errado (como Prahalad mostra) confundir produto para pobre com produto pobre. As pessoas pobres querem a mesma qualidade que as ricas.

Princípio inventivo: MUDE OS PARÂMETROS DO SISTEMA. Este princípio tem grande implicação em marketing. Neste caso quer dizer o seguinte: crie uma categoria nova a partir de uma categoria existente invertendo os pressupostos da categoria de origem.

A revista *Exame* de 18 de fevereiro de 2004 trouxe uma reportagem sobre o fenômeno Casas Bahia. "A habilidade para entender as necessidades emocionais e os hábitos de compra de clientes de baixa renda, e a capacidade de viabilizar seu sonho de consumo por meio do acesso ao crédito resultam num modelo de negócio único no varejo". Para "baixa renda" isso foi perfeitamente identificado a partir da observação de como esses clientes vivem as suas vidas — "Fazemos com que um cliente classe D se sinta classe A". Não é um modelo baseado em atributo (baixa renda), mas em circunstância (como vivem suas vidas, quais suas aspirações). O modelo de negócios — o enredo da história — foi montado em cima disso. Atendimento ao cliente baseado numa intimidade absoluta com sua "alma", digamos. As mesmas marcas que a classe média valoriza, não "marcas de pobre". Procedimentos originais para liberação de crédito que dá prioridade ao contato pessoal, não a algoritmos computadorizados de *credit scoring*. Para gerenciar a cobrança idem. Inadimplência idem. Carnês que cabem no bolso (se não o pessoal esquece na gaveta e perde a data do vencimento) e são entregues preferencialmente nas próprias lojas. Entrega em qualquer lugar no prazo e seguindo um ritual que reforça o relacionamento. A Casas Bahia ganhou

muito dinheiro de uma forma que seus concorrentes não conseguiam. A reportagem da *Exame* dizia (em 2004): "não vendem pela internet, seus carnês são pagos somente nas lojas, não terceirizam a entrega (são donos de frota própria), não terceirizam a cobrança, mantêm estoques para dois meses (o dobro da prática usual), fabricam os móveis que vendem. Tudo aparentemente ao contrário do que é moderno em gestão".
Princípio inventivo: FAÇA O CONTRÁRIO / INVERTA OS PARÂMETROS DO SISTEMA.

Já vimos que enquanto sua oferta compete na fase da performance (funcionalidade + consistência), você deve controlar todas as atividades que têm de ser desempenhadas para produzir e entregar a oferta (realizar o JOB). Como os competidores ainda não ameaçavam a CB com nada semelhante (em 2004), terceirizar para quê? (o Ponto Frio, segundo do ranking em 2004, tinha menos da metade do tamanho da CB). Não havia dinheiro novo a ser ganho terceirizando. Seria muito mais inteligente consolidar o padrão.
No livro *A ciência da gestão*, Clemente Nobrega (2004) escreveu: "Mas pode apostar: à medida que houver outras ofertas 'boas o suficiente' realizando o mesmo JOB que a CB realiza, a tendência vai ser buscar valor em elos da cadeia que possam ser configurados de forma diferente. Eventualmente terceirizando, sim. Depende das circunstâncias... Quem poderia ameaçar a Casas Bahia? Os cartões de crédito 'para pobre'. Se clientes que compram no carnê passarem a optar em massa pelo cartão, a estratégia da CB teria de mudar, pois o carnê na loja é o centro de sua estratégia atual. No caso extremo, se a coisa complicar, vai ter de montar outro negócio, com outro nome etc. em torno do cartão, para poder continuar explorando sua grande competência: o talento para ler as circunstâncias do pobre."

De 2004 para cá, volta e meia surgia a discussão sobre se a CB não deveria terceirizar sua entrega, livrando-se de suas enormes frotas de caminhões e reduzindo custos. Já havia sinais de que a CB talvez não tivesse uma estratégia sustentável. Mas a questão não era terceirizar ou não, era conseguir manter a hegemonia na realização do JOB que realizava tão bem.

> A Toshiba, por exemplo, terceiriza a assistência técnica de seus *laptops* com a UPS que é a empresa que os entrega para ela. A Toshiba treina funcionários da UPS para consertar laptops! O cliente não está nem aí.
> Princípio inventivo: um elemento do sistema desempenhando múltiplas funções, AUTOSSERVIÇO, um elemento do sistema embutido dentro de outro (Princípio inventivo 7: BONECA RUSSA (*Nested doll*).
>
> Todo mundo terceiriza *call centers*. Tem muitos indianos (na Índia) atendendo clientes VISA que ligam para um número nos EUA. Basta que um conjunto de tarefas possa ser codificado segundo procedimentos passo a passo fáceis de definir e monitorar, que eles podem ser realizados por qualquer um treinado para isso.

Otimizar RECURSOS é essencial para manter custos sob controle, uma necessidade que, com o tempo, seria cada vez maior para a CB. Clemente prosseguia em 2007:

> *A CB pode estar com custos excessivamente altos... O cliente quer é que a entrega seja feita direito (no prazo e com todos os componentes que definem o que é qualidade para ele, cliente). Dizer que só a CB (não um terceirizado) pode fazer isso não é razoável. Não estamos dizendo que terceirizar é melhor. Pode ser, pode não ser, depende das circunstâncias específicas do negócio. Só estamos criticando o motivo pelo qual se justifica a não terceirização — ele está na contramão das evidências. A CB pode estar perdendo uma boa oportunidade de libertar dinheiro preso.*

Nota: Um artigo anterior de Clemente em seu site mereceu uma resposta oficial da CB contestando a seguinte afirmação:

> *a CB pode estar perdendo a capacidade de gerenciar sua expansão porque seu modelo depende de recursos muito específicos (sua cultura). Outros competidores estão aprendendo a realizar o JOB que a CB realiza...*

Em 2009 a CB foi vendida para o Pão de Açúcar.

Reparem uma coisa: o modelo da CB não é centrado em custo baixo. Seu modelo é de custo alto (como o da Zara também é). Um modelo assim só é minimamente sustentável se você domina um nicho que esteja querendo realizar um JOB que você possa realizar, e que você possa preservar de ataques da concorrência. Se você tem algo que ninguém possa copiar, ok. Se não, você não tem um modelo de negócio.

O sistema financeiro no Brasil é relativamente sofisticado e, passada a hiperinflação pré-Real, e inspirada pelo sucesso da CB, logo concluiu que "baixa renda é uma boa". Todo mundo partiu então para desenvolver seus próprios modelos. Concessão de crédito para pobre surgiu forte em habitação, em educação, em consumo em geral. Cartão de crédito para baixa renda é um fato da vida.

A CB tinha (tem) um RECURSO único, singular, que foi decisivo para os seus cerca de 10 anos de sucesso retumbante — sua cultura, seu DNA "de dar crédito para pobre". Sua pujança ocorreu no período 1994-2005, depois disso já dava sinais de que o modelo não seria sustentável. Foi CULTURA o recurso que a tornou, em nossa opinião, a maior inovação brasileira de todos os tempos (critério: dinheiro novo).

Nossas previsões sobre as dificuldades crescentes que a CB iria ter para se expandir com base nesse único recurso (com a rapidez com que tentou fazer) não foram bem entendidas, mas nós estávamos certos. Segurar tudo só com "cultura" seria difícil.

A empresa, enquanto tentava se expandir geograficamente, optou por criar apelos também para as classes A e B, que têm outros JOBs e, portanto, vão exigir outros RECURSOS e PROCESSOS. Não dá para ter modelos de negócio (JOBs) misturados num único modelo operacional. É preciso separar. Nós previmos isso. Usamos ciência, não bola de cristal.

A CB fez bem em vender.

4.9 Crie sua Boeing

O tempo de montagem de um Boeing 737 em 2005 era de 11 dias, poucos anos antes eram 28. A Boeing contrata diversas companhias de aviação russas (célebres durante a Guerra Fria pela fabricação de aviões militares com nomes como Ilyushin, Tupolev, Sukhoi) que lhe fornecem engenheiros sob encomenda para projetos variados. Usando um software francês, os engenheiros russos (trabalhando na Rússia) colaboram com seus colegas da Boeing América (localizados em três cidades: Seattle, Wichita e Kansas) em projetos de aviões auxiliados por computador. A empresa montou um dia de trabalho de 24h, composto por dois turnos em Moscou e um nos EUA. Desenhos são transmitidos para lá e para cá, por meio de alta tecnologia especializada. Há salas de videoconferência em todos os andares do escritório da Boeing em Moscou. Os engenheiros não dependem de e-mails quando têm de resolver alguma pendência técnica com seus colegas americanos. Os engenheiros russos também terceirizam partes do trabalho que fazem para a Boeing, para a Hindustam Aeronautics, em Bangalore, especializada em digitar projetos aeronáuticos a fim de facilitar a fabricação. Antigamente, a Boeing mandava os planos das asas de seus 777 para seus contratados japoneses se encarregarem da produção. Mas engenheiros japoneses são caros e a Mitsubishi terceiriza a parte das asas terceirizadas do atual 737 para os mesmos engenheiros russos usados pela Boeing para outras partes do avião. Todo esse movimento de terceirização global é para projetar e construir aviões mais rapidamente e com menor custo...[7]

Princípio inventivo: SEPARAÇÃO NO TEMPO e SEPARAÇÃO NO ESPAÇO. USE CÓPIAS.

4.10 Crie sua FEDERAL EXPRESS — troque massa por informação

A FEDEX é um caso perfeito de inovação em modelo de negócio — nossa forma preferida de inovação porque hoje é a que sustenta dinheiro novo por mais tempo.

Fred Smith, o criador do modelo, notara que as empresas de entregas de encomendas raramente as entregavam diretamente no ponto final. O pacote sempre mudava de mãos, de uma linha aérea para outra, de um agente para outro, de uma cidade para outra.

Ninguém tinha responsabilidade pelo fluxo completo de movimentos. Era impossível garantir prazos de entrega com precisão, perdia-se tempo e dinheiro. Além disso, as rotas aéreas eram tremendamente congestionadas, era impossível para as linhas aéreas sacrificar passageiros para transportar pacotes.

Havia um JOB claro a realizar: "entrega garantida, de um dia para outro." Smith decidiu realizá-lo usando a ideia de *central radial flow*, todas as encomendas indo para um centro e daí saindo, radialmente, para serem distribuídas (como aros numa roda de bicicleta).

Naquela época, 90% dos aviões comerciais ficavam no chão de 22h às 8h da manhã (poucos passageiros a transportar nesse horário) e a FEDEX iria concentrar o envio de seus pacotes neste horário. Todas as encomendas coletadas em lugares diferentes durante o dia iam para um aeroporto central em Memphis em voos

[7] Thomas Friedman em *O mundo é plano* (2009).

noturnos, e voavam para o destino logo em seguida. Esses pacotes eram entregues aos clientes na manhã seguinte via lojas locais da FEDEX.

Smith resolveu o conflito primário entre voo lotado e entrega rápida utilizando voos noturnos. SEPARAÇÃO NO TEMPO. Lembre-se que a SouthWest criou um modelo novo de aviação por meio da seleção de rotas e aeroportos fora da malha usual: SEPARAÇÃO NO ESPAÇO. Ambas fizeram uso de RECURSOS já existentes no sistema.

Muito importante:

Os princípios que a inovação sistemática chama de "princípios de separação" são extremamente poderosos para resolver contradições análogas às que a FEDEX apresentava (resolvidas por "separação no tempo") ou a SouthWest (resolvidas por "separação no espaço"). Além de *tempo* e *espaço* existem mais dois tipos de princípio de separação. O terceiro se chama "separação em JOBs TO BE DONE" — o nome original que a TRIZ usa para ele é "separação em condições", mas nós preferimos "separação em JOBs" porque se conecta mais diretamente com a contribuição do INNOVATRIX à metodologia clássica: a introdução da noção de JOB TO BE DONE à inovação sistemática. Os dois desafios mais problemáticos para a inovação em geral — saúde e educação — podem ser equacionados por meio de princípios de separação em JOBs TO BE DONE. Para a área de saúde veremos a ideia central adiante. A área de educação mereceria um livro dedicado só ao tema, talvez.

O quarto princípio de separação é "separe a parte do todo". Também vamos ver algo sobre ele com o exemplo do Tata Nano logo adiante.

4.11 Crie sua própria Mayo Clinic

Hospitais gerais, para ganharem dinheiro, precisam de gestão da "produção" como uma fábrica. Precisam de práticas para eliminar gargalos no fluxo de pacientes que chegam à emergência, na ocupação dos leitos das UTIs, nas visitas dos médicos a seus pacientes internados e consequentes altas, nos procedimentos operacionais das intervenções que são realizadas, na programação da distribuição de remédios pela farmácia etc.

Os princípios inventivos que um hospital geral TEM que adotar são relacionados a SEPARE. Gargalos em hospitais são "estoques de gente", ou esperando para ser atendida, ou esperando para ser liberada. É urgente introduzir a mentalidade Toyota/Walmart nos hospitais. Uma atenção mais "engenheirada" a essas coisas aumentaria a eficiência (menos custo, mais qualidade), mas são raríssimos os hospitais que praticam essa disciplina.

Um hospital geral típico não tem modelo de negócio claro porque não se preocupa com JOBs TO BE DONE específicos. O JOB que ele se propõe a realizar é: "faço qualquer coisa relacionada a qualquer condição de saúde". Não pode dar certo. Não há exemplo de nenhuma oferta que funcione bem se propondo a "ser tudo para todos".

A rota de solução que nosso método sugere para o hospital geral é SEPARE POR JOB TO BE DONE.

Em saúde só existem três JOBs:

1. Eu não sei o que tenho e preciso que um especialista me diga (ex.: "estou com um desconforto estranho... Será problema cardíaco, doutor?").
2. Já tenho o diagnóstico e quero resolver o problema da forma mais rápida e barata (ex.: "seu desconforto vem de excesso de gases. Laxante resolve". Ou "é uma obstrução arterial pequena, angioplastia resolve").
3. Sei que meu problema não tem solução (sou crônico), ajude-me a conviver com ele da forma menos penosa possível (ex.: "sou diabético" ou "meu avô tem Alzheimer, como posso conviver com isso da forma menos danosa à minha qualidade de vida e à da família?").

O hospital geral, como muita coisa em saúde, se resolve por meio do princípio inventivo SEPARE. A forma mais importante de SEPARE para a gestão da saúde é SEPARE EM JOBs TO BE DONE, pois é isso que permite definir quais RECURSOS E PROCESSOS devem ser encaixados para realizar o JOB.

Algumas instituições médicas decidem além de separar por JOB, SEPARAR NO ESPAÇO também, constituindo unidades fisicamente separadas para cada JOB. Outras, mantém tudo sob o mesmo teto, mas definem RECURSOS E PROCESSOS diferentes para cada JOB (e, portanto, FÓRMULAS DE LUCRO diferentes para cada um).

Ambas as formas de SEPARE são válidas, mas tem de separar. Fisicamente e/ou conceitualmente, tem de separar. Se não, não será possível realizar os JOBs de forma adequada e essas organizações médicas não vão gerar valor.

Fale disso e alguém arregala os olhos dizendo: "mas hospital é diferente. Não é supermercado, não é empresa aérea, não é montadora de carro."

Errado. É igual, sim. Se você quer gerar valor é igualzinho. Sincronize informações para otimizar o fluxo de coisas de A para B (sejam pacientes num hospital, sejam pacotes de fraldas descartáveis num supermercado) que você liberta dinheiro preso. O problema da maior parte dos hospitais não é medicina, é engenharia.

4.12 Crie seu Tata Nano separando as partes do todo

O Tata Nano é um carro de US$ 2.500, concebido pela Tata Motors (Índia). O JOB é claríssimo: milhões de indianos transportam suas famílias em *scooters* (pequenas motos) porque não têm opção.

Nas ruas das cidades mais populosas, é incrível a quantidade de pessoas amontoadas em *scooters*, muitas levando famílias inteiras, animais e pertences. O mercado de não consumidores nos países emergentes é enorme. O JOB delas na Índia é: quero ir de A para B levando família e objetos.

Para a Tata Motors ajudar a realizar esse JOB ela teve de reformular tudo relativo à fabricação e distribuição de carros. Teve de criar equipes de engenheiros não viciados nas formas vigentes de se fazer as coisas (Princípio inventivo: SEPARE AS PARTES DO TODO para contornar a inércia psicológica).

Essas equipes minimizaram drasticamente o número de peças no veículo, o que resultou em enorme redução de custos. Na outra ponta — a distribuição — o plano é enviar módulos de componentes para uma rede de montadores independentes, alguns de propriedade da empresa, outros não. Essa rede montará os carros *on demand.* O Nano é concebido, fabricado, distribuído e mantido de uma forma que não podia ser realizada sem um novo modelo de negócio.

Seria possível prosseguir com exemplos e mais exemplos. A NUCOR inovou em siderurgia produzindo, no início, só vergalhão, um tipo de produto que as grandes siderúrgicas esnobavam por ter margens muito baixas. Mas a NUCOR identificou um público que adoraria comprar vergalhão ainda mais barato, e inventou um processo de produção completamente novo para fazer o que tinha de ser feito para satisfazer o JOB. A Tata Motors é a NUCOR dos automóveis. O Nano é uma espécie de vergalhão dos automóveis. Não é um público exigente. Sem o Nano teriam de ficar no *scooter.*

4.13 Quatro graus de separação

Existe uma teoria (nada a ver com inovação sistemática) que defende que qualquer pessoa no planeta Terra pode ser conectada a qualquer outra, por meio de uma cadeia de pessoas conhecidas que não têm mais do que 5 intermediários. (Está curioso? Tecle "seis graus de separação" no Google).

Na inovação sistemática, os princípios de separação são quatro não cinco, mas eles conectam uma variedade impressionante de soluções inventivas para problemas de inovação.

- Separação no espaço (SouthWest);
- Separação no tempo (Federal Express);
- Separação em JOB TO BE DONE (numa empresa com muitas marcas, cada uma tem de estar associada a um JOB, se não, não dá certo. Um hospital geral tem de separar seus processos segundo os três tipos de JOB que existem na área de saúde, se não, não dá certo);
- Separação entre a parte e o todo. O time de projeto do Nano teve de ser separado da empresa senão não teria concebido o novo modelo. Essa separação ("parte do todo") é muito utilizada para montar times que vão desenhar inovações que desafiarão o modelo de negócio vigente na empresa.

Será que posso usar minha marca num produto novo que vai estender minha linha de produtos já existente?

Vamos pensar INNOVATRIX e usar exemplos do livro do Clemente — *A ciência da gestão* (inspirado em trabalhos de Clayton Christensen) — para responder.

Se os clientes "contratam" um produto para realizar um JOB que tal produto não foi concebido para realizar, ficarão decepcionados, e a marca vai sofrer. Mas, se "contratam" o produto para realizar a tarefa que o produto realmente realiza, a marca só tem a ganhar. Clayton Christensen dá vários exemplos: vejam o caso da Kodak com sua câmara descartável. Como essa câmara usa lentes plásticas, a qualidade das fotos não é comparável às 35mm tradicionais da empresa. O pau quebrou na Kodak quando alguém sugeriu lançar as descartáveis — estavam fora do padrão Kodak. Não podiam levar o nome Kodak. A empresa decidiu criar então uma unidade de negócio independente que lançou a descartável Kodak Funsaver.

Princípio inventivo: SEPARE A PARTE DO TODO.

Esse produto era para ser usado em uma circunstância específica: quando aparecia uma situação que valia a pena fotografar, mas ninguém tinha trazido câmara. Quer dizer, era a Funsaver ou nada. Ela não competia contra as Kodak tradicionais, competia contra a não foto. Clientes confrontados com a opção "ou a Funsaver ou nada" ficavam deliciados com a maquininha descartável, pois seu JOB TO BE DONE era: "tenho que registrar isso de qualquer maneira."

Princípio inventivo: SEPARE POR JOB TO BE DONE.

A rede Marriott de hotéis fez o mesmo criando uma arquitetura de marcas que atendem a circunstâncias diferentes nas vidas de seus clientes. Quer realizar uma grande convenção de negócios? Contrate o Marriott Hotel. Quer um lugar limpo e quieto para trabalhar um pouco e dormir bem durante a noite? Contrate o Courtyard by Marriott (o hotel para quem viaja a negócios). Um lugar barato para ficar com a família? Contrate o Fairfield Inn by Marriott. Quer "um lar longe do lar"? Contrate o Residence Inn by Marriott. Toda a rede reforça a marca Marriott. Cada um realiza um JOB TO BE DONE diferente. Se houvesse hotéis Marriott com preços diferentes e destinado ao mesmo JOB TO BE DONE (ou seja, se o critério de segmentação tivesse sido preço e não JOB) forçosamente as qualidades de cada hotel seriam diferentes aos olhos do cliente. Haveria Marriotts de baixa qualidade e Marriotts de alta qualidade, o que seria péssimo para a marca.

Guarde isso: quando o JOB TO BE DONE que vários produtos se propõe a realizar é o mesmo, a marca não pode ser a mesma. Se o marketing for competente para direcionar cada cliente ao seu respectivo JOB TO BE DONE, aí sim, todos os produtos sob uma mesma marca, independentemente do preço, serão considerados de alta qualidade.

4.14 Vai convergir mesmo?

Esse debate atual sobre a convergência de tecnologias e produtos pode ser resolvido pelos princípios do INNOVATRIX. Só vai convergir o que estiver realizando um JOB que o cliente esteja querendo realizar.

Por exemplo (ainda seguindo argumentos de Clayton Christensen): qual o JOB que um BlackBerry realizava quando surgiu? Era o seguinte: quero aproveitar ao máximo pequenos intervalos de tempo livre que surgem no meu dia a dia. Enquanto ando do avião para o táxi, enquanto espero no trânsito... A versão original do BlackBerry tinha só e-mail para realizar esse JOB.

Há outras coisas que realizam o mesmo JOB (explorar pequenas janelas de tempo disponível que se abrem no dia a dia)? Sim, falar ao celular por exemplo. Era previsível, então, que o e-mail e o celular fossem convergir num mesmo aparelho, porque ambos realizam o mesmo JOB ("maximize minha produtividade") nos mesmos momentos da vida de uma pessoa. Aparelhos multifuncionais, como impressoras, scanners, fax, copiadores todos acoplados num mesmo objeto, fazem sentido pela mesma razão — realizam tarefas que surgem juntas no tempo grande parte das vezes.

Agora, um aparelho estúpido como o rádio-relógio — presente em dez entre dez quartos de hotel pelo mundo a fora, não realiza JOB nenhum. Só serve para irritar os hóspedes que são acordados no meio da noite porque o hóspede anterior programou a coisa para despertar (com notícias aos berros) às 4 da manhã. Ninguém sabe programar aquilo (nem os atendentes do hotel sabem), então, a primeira coisa que fazemos ao entrar é tirar a tomada da parede.

Por que existem rádios-relógios em quartos de hotel, então? Não sabemos. Nem a teoria inventiva da solução de problemas explica.

Uma marca é algo que ocupa um lugar separado na mente. Esse lugar é associado a um JOB específico, e só a um JOB.

O maior erro que se pode cometer em marketing é embolar conceitos, pois a mente rejeita isso.

SEPARE, SEPARE, SEPARE. Para criar uma marca, esse é o princípio inventivo essencial.

Capítulo 5
Fazendo na prática

5.1 Como é que faz mesmo?

Olhe para qualquer empresa consistentemente inovadora. Vamos definir "consistentemente inovadora" como uma empresa que ficou na crista da onda por 10 anos ou mais, durante as últimas décadas.

Todos os exemplos que demos neste livro são de empresas assim. O que elas têm em comum?

Duas coisas: padrões de crescimento notáveis (em janelas de tempo contínuas de no mínimo 10 anos) e o fato de que todas atingiram esses patamares eliminando conflitos considerados normais ou "parte da vida" em seus setores.

Estamos escrevendo nos primeiros dias de 2010.

Nos últimos anos a DELL deixou de ser líder, a Toyota escorregou feio, a eBay — outrora esfuziante — está meio caída, a Casas Bahia foi vendida...

Não achamos razoável ir além de 10 anos de performance fora da média pelo seguinte: empresas passam por altos e baixos. É assim que é. É assim que tem que ser. Não dê bola para esse negócio de empresa "feita para durar" porque isso não existe. É melhor ser "feita para se transmutar".

Dez anos de crescimento consistente está ótimo para qualquer um (menos, é claro, para os megalomaníacos deslumbrados e para o pessoal do "brilho do olhar", naturalmente).

Os executivos que conhecemos, aqueles que tocam empresas reais e têm de tomar decisões reais, dia a dia, ficam felicíssimos com performances boas por bem menos do que dez anos. Na verdade, não conhecemos nenhum que esteja preocupado com alguma coisa que esteja num horizonte de mais de dois ou três anos (se tanto). Muitos dizem o contrário, mas é só de boca. Executivos gostam de posar de visionários, sabe?

5.2 Empresas produzem dinheiro novo eliminando conflitos / contradições

Qualquer empresa, independentemente dos JOBs que realize para seus clientes, vive sempre num mar de conflitos.

Você quer aumentar a produção, mas teme com isso reduzir a qualidade. Você quer mais qualidade, mas não quer aumentar custos.

Você quer mais receitas, mas não quer ter de investir mais para isso (aumenta seu risco).

Você quer reduzir custos, mas não quer diminuir o moral da tropa.

Você tem que construir o futuro sem tirar o pé do presente.

Este é o mundo das empresas no dia a dia.

O núcleo central das ideias da inovação sistemática é a eliminação de conflitos dentro das empresas. Não acomodação, eliminação. Isso obriga as pessoas a contornarem seus vieses psicológicos e pensarem de forma deliberada para eliminarem conflitos.

5.3 A matriz de conflitos em negócios

A inovação sistemática descobriu 31 parâmetros nos quais se originam os conflitos nas empresas. Esses conflitos surgem porque quando você tenta melhorar um parâmetro tem que piorar outro (pense, por exemplo, "custo X qualidade"). É como se você tivesse uma sacola plástica cheia d'água; faça pressão numa área e ela incha do lado oposto.

Inovação sistemática procura meios de eliminar esse "incha/desincha", pois é dessa eliminação que vem o dinheiro novo. Ela faz isso eliminando conflitos, não os acomodando. Ela obriga o sistema (empresa/produto/serviço) a caminhar para um estado "ideal" em que todas as contradições/conflitos foram eliminados.

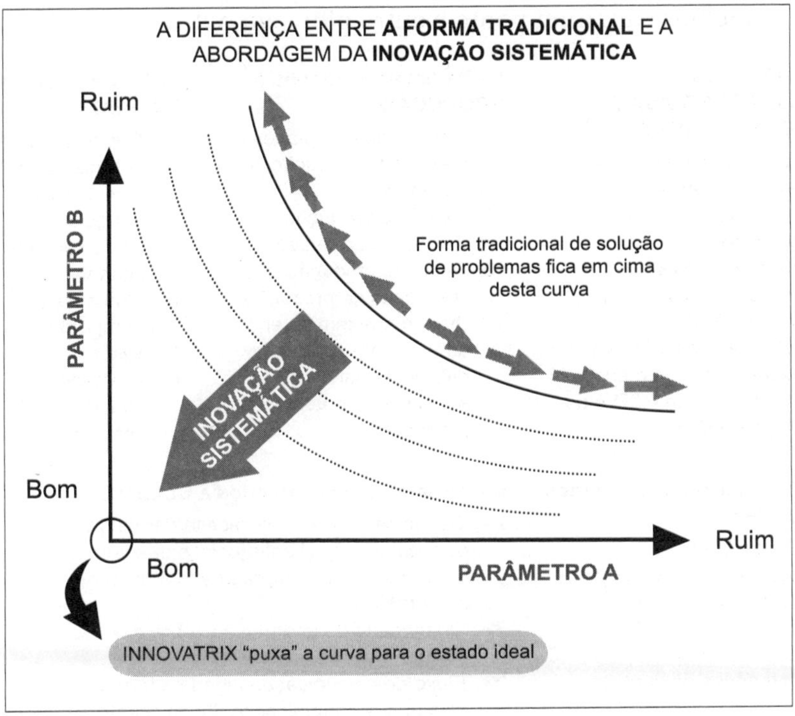

Pense no método como uma série de coisas a fazer para tornar a "sacola" moldável sem que a tensão se transfira de um ponto a outro.

Os 31 parâmetros estão divididos em grupos que correspondem às atividades que qualquer empresa tem de executar junto com seus fornecedores para realizar o JOB que promete a seus clientes: conceber, projetar, produzir, vender, entregar e dar suporte àquilo que vendem para realizar o JOB.

Essa descoberta possibilitou a montagem da ferramenta mais importante do método: a *matriz de conflitos em negócios*, uma matriz construída colocando os mesmos 31 parâmetros nos eixos vertical e horizontal.

Os 31 parâmetros da MATRIZ DE CONFLITOS EM NEGÓCIOS

(melhore um num ponto e outro piora em outro ponto)

a - Parâmetros ligados à PESQUISA E DESENVOLVIMENTO (R&D)

1. Capacidade de conceber, projetar e produzir produtos/ serviços de qualidade;
2. Custos de R&D;
3. Tempo de R&D;
4. Risco de R&D;
5. Interfaces de R&D (por exemplo, sintonia entre as habilidades de R&D e as de produção).

b - Parâmetros ligados à PRODUÇÃO

6. Capacidade de planejar e executar a produção com qualidade;
7. Custo de produção;
8. Tempo de produção;
9. Risco de produção;
10. Interfaces de produção (tudo o que tem a ver com as conexões entre diferentes partes do sistema que possa afetar a produção).

c - Parâmetros ligados à ENTREGA

11. Capacidade de entregar com qualidade o que é requisitado (inclui tangíveis e intangíveis);
12. Custo da entrega;
13. Tempo da entrega;
14. Risco da entrega;
15. Interfaces relacionadas à entrega.

d - Parâmetros relacionados a SUPORTE

16. Capacidade de dar suporte com qualidade;
17. Custo do suporte;
18. Tempo do suporte;
19. Risco do suporte;
20. Interfaces do suporte.

e - Parâmetros relacionados a CLIENTE

21. Capacidade de extrair receita/demanda ou feedback do cliente (coisas que vêm do cliente para a empresa e têm de ser interpretadas);
22. Quantidade de informação sobre o cliente;
23. Fluxo de comunicação (ligado à forma pela qual a comunicação flui do cliente para a empresa);
24. Fatores que afetam o sistema negativamente (tudo o que tem um efeito ruim ou deletério sobre o sistema);
25. Fatores gerados pelo sistema que fazem mal ao ambiente do sistema;
26. Conveniência da oferta (facilidade com que as pessoas interagem com o produto/serviço);
27. Adaptabilidade/Versatilidade (facilidade com que a empresa responde a estímulos externos);
28. Complexidade do sistema (número de agentes que têm de interagir para que o sistema realize o JOB);
29. Complexidade de controle (facilidade de controlar o sistema);
30. Tensão/Estresse no nível das pessoas ou da organização oriundas de conflitos de algum tipo;
31. Estabilidade (facilidade de manter a integridade do sistema). Vem da relação entre seus elementos constituintes.

Então, quando você tenta realizar o JOB, o dinheiro fica preso em ineficiências, gargalos e fricções que existem por causa desses conflitos aparentemente, inerentes a qualquer empresa. Nunca dá para melhorar uma coisa sem piorar outra. Como se pode resolver isso? Inovando. Eliminando os conflitos.

Vamos ver por meio de exemplos simples.

Para começar, um que poderia ser resolvido por um método tipo Qualidade Total.

Esse tipo de metodologia define "problema" como resultado indesejável de um processo. Está certo, mas nós vamos além — definimos problema como resultado indesejável por causa de uma contradição ou conflito. Mostramos como identificar esse conflito e os princípios inventivos que norteiam sua solução. Deixamos você mais "na cara do gol" que com outros métodos (mas chutar para dentro, lembre-se, é com você).

5.4 Um conflito na fábrica[8]

Uma empresa está apresentando quebras de equipamentos com muita frequência. Custos de manutenção altos e perda de encomendas são consequência disso. Sabe-se que o departamento de manutenção teme que, se não houver manutenção para fazer, seus empregos correm perigo.

A maneira como o sistema está montado incentiva um conflito: há alguma coisa que eu quero melhorar, a *taxa de defeitos*, e algo que nos impede de conseguir isso, a ameaça *de eliminação dos empregos* do pessoal de manutenção.

Como se chega a uma solução?

> Alguém já resolveu um problema assim. A matriz de conflitos é o registro das soluções que já foram dadas para os conflitos conhecidos, portanto a solução está na matriz. Temos que fazê-la falar.

[8] Baseado em um exemplo de Darrell Mann em *Hands on Systematic Innovation for Business and Management*.

O passo seguinte é traduzir as condições específicas de nosso problema para aquelas codificadas na matriz — aquele arranjo 31x31. Quando um melhora, outro piora. Na intercessão do que melhora com o que piora, os pesquisadores da inovação sistemática colocaram os princípios inventivos (Altshuller) que nortearam as soluções que outros já encontraram.

> A sequência é a seguinte:
> 1. Traduza seu problema específico nos termos dos parâmetros da matriz de conflitos.
> 2. Use a matriz para achar os princípios inventivos usados por outros para resolver problemas análogos.
> 3. Conecte os princípios inventivos que outros usaram ao seu problema específico e gere suas próprias soluções.

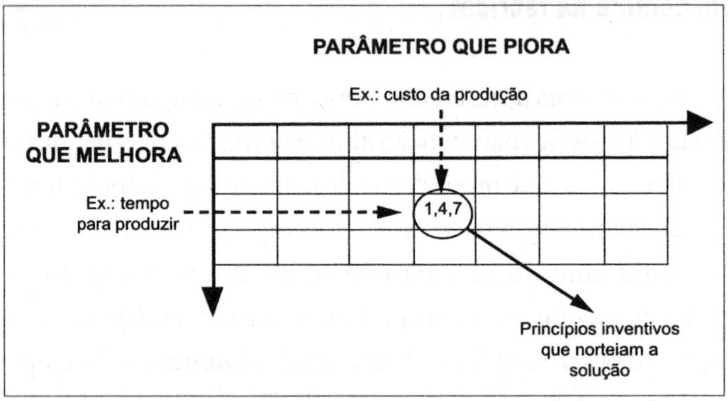

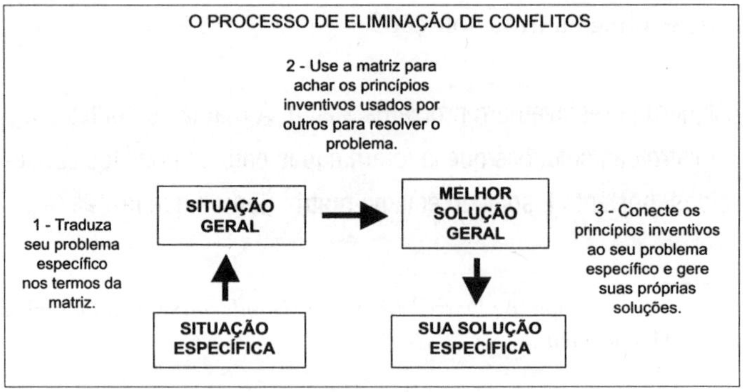

Sendo assim,

- O que queremos melhorar neste caso?

Reduzir as taxas de defeito.

- Qual a melhor concordância na lista dos 31 parâmetros?

"Qualidade da produção" (número 6).

- O que nos impede?

O departamento de manutenção vai ter de demitir.

- Qual a melhor concordância disso na lista dos 31 parâmetros?

"Fatores que afetam o sistema negativamente" (número 24).

Vamos à matriz de conflitos 31x31.

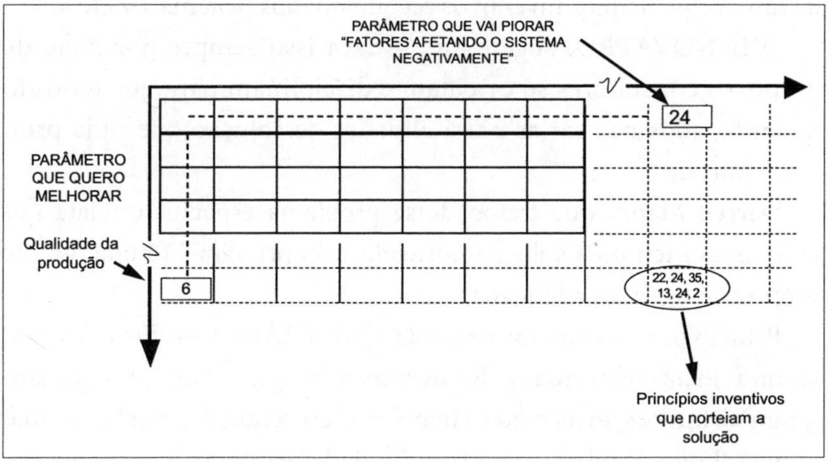

Na interseção do parâmetro 6 da matriz com o 24, a tabela diz que foram os princípios 22, 24, 35, 13, 24 e 2 que nortearam as estratégias de solução dos problemas envolvendo conflitos "parecidos" com o nosso, ou seja, envolvendo o par de parâmetros "Qualidade da produção" *versus* "Fatores que afetam o sistema negativamente".

A ordenação indica a frequência com que cada princípio inventivo foi usado. Nesse caso, o princípio 22 foi o mais usado, o 24 foi o segundo mais usado etc. De onde vieram mesmo esses princípios inventivos? Da lista de 40 que Altshuller compilou. São sempre 40 princípios, e os números os identificam segundo a convenção que os pesquisadores adotaram.

Falta pouco agora. Temos de converter esses princípios inventivos em soluções específicas para o nosso problema. Isso pode ser feito de várias maneiras: individualmente ou em grupo, pegando cada princípio e tentando esgotar as possibilidades de solução que cada um aponta, ou olhando todos mais ou menos superficialmente até que uma solução mais natural seja identificada pelo grupo; ou dividindo o grupo em subgrupos e deixando cada um buscar o norte da solução a partir de um dos princípios inventivos recomendados pela matriz etc.

O INNOVATRIX sugere que se faça isso sempre por meio do grupo, os consultores só orientam e disciplinam para que todos fiquem focados nas várias possibilidades de solução que cada princípio norteia.

Darrell Mann, que tratou desse problema específico, relata que após algum tempo a solução norteada pelo princípio 13 emergiu no grupo como a mais adequada.

Princípio inventivo 13: FAÇA O CONTRÁRIO — *The other way around.* Ideias oferecidas pelos demais princípios inventivos que surgiram na interseção da matriz, também ofereceram dicas valiosas, mas o que saltou aos olhos como possibilidade real foi o "inverta a ação" usada para resolver o problema. O que significaria isso?

Isso significaria que, em vez de remunerar o departamento de manutenção por fazer manutenção, eles agora seriam remunerados por não ter que fazer manutenção. Quer dizer, quanto menor a taxa de defeitos na produção, mais o pessoal da manutenção ganharia.

É mágica? É fórmula? É mecânico?

Não é não.

Você pode estar se perguntando: como vou saber o par que melhor caracteriza o conflito? Por que escolher o par "Qualidade da produção" *versus* "Fatores que afetam o sistema negativamente"?

Tudo bem que o que se quer melhorar é "Qualidade da produção", mas o que vai piorar poderia ter sido "Estabilidade do sistema" (número 31 na matriz de conflitos) ou "Interfaces de produção" (número 10).

Certo. Não haveria problema.

Todas as conexões são válidas porque acabam levando a um processo de repetição até que se escolha um par mais adequado.

Deve-se apenas tentar o chute inicial mais certeiro possível para evitar que o processo de aproximações sucessivas demore muito, mas nunca se esqueça: a matriz é o resultado de milhões de registros de conflitos e suas soluções. Toda vez que se introduz uma solução nova para um conflito entre pares de parâmetros do banco de dados, a matriz muda um pouco (fica mais "ideal", vamos dizer).

> Se tivéssemos escolhido os pares "qualidade da produção" *versus* "estabilidade" ou "qualidade da produção" *versus* "interfaces de produção" veríamos que, nas respectivas interseções da matriz, os princípios inventivos 13 e 35 apareceriam sempre. O processo se autocorrige. Quando examinamos vários pares de parâmetros conflitantes da matriz e vemos que os mesmos princípios inventivos aparecem como norteadores das soluções, podemos estar certos de que esses princípios vão nos ajudar a resolver nosso problema particular.

Pense nisso como uma espécie de algoritmo. Um algoritmo é um conjunto de regras automáticas que, uma vez colocadas em ação, garantem a obtenção de certo resultado. Quando você faz uma conta de dividir usa um algoritmo. Você começa chutando um certo valor para o quociente, e multiplica-o em seguida pelo divisor. Se o resultado da multiplicação for maior que o dividendo, você recalibra o chute do quociente escolhendo um valor menor.

Vai repetindo esses passos até que sua calibragem, cada vez mais fina, produza o maior quociente que fique contido no dividendo.

Esse procedimento sempre dá certo, independentemente do chute inicial. É o processo que garante que ele "dá certo", entende?

Processos algorítmicos puros independem de intervenção humana.

São impessoais, são suas regras que garantem que eles funcionam: "siga essas regras que você obterá o resultado."

Mas inovação sistemática segue um algoritmo que não é tão puro assim, a solução não é dada automaticamente, só o norte, a direção geral dela, aparece automaticamente.

Ao dizer que o método é algorítmico, não estamos dizendo que é perfeito. O que um processo algorítmico deste tipo garante, isto sim, é que os vieses humanos estejam o mais possível sob controle.

Se você se interessar por processos algorítmicos rigorosos deve estudar lógica matemática, pois é lá que eles encontram sua formulação rigorosa.

5.5 Uma contradição na Benetton

Lembra do caso da Benetton no capítulo 4? Você rompe o conflito: tenho que ser rápido em meus lançamentos/não posso ser rápido porque não sei quais as cores definirão a moda este ano.

A maior incerteza é a cor que define as tendências da estação, e a Benetton passou então a produzir suas peças sem cor, deixando o tingimento para o último momento. Assim, eles realizaram todas as etapas anteriores da produção até que as cores da estação tivessem emergido. Só aí tingem as roupas.

Os parâmetros em conflito aqui são claramente: "tempo de produção" e "versatilidade", quanto mais de um menos do outro. Na matriz, esse par se cruza produzindo o seguinte conjunto de princípios inventivos: 10, 15, 30, 7, 2, 29, 25, 13.

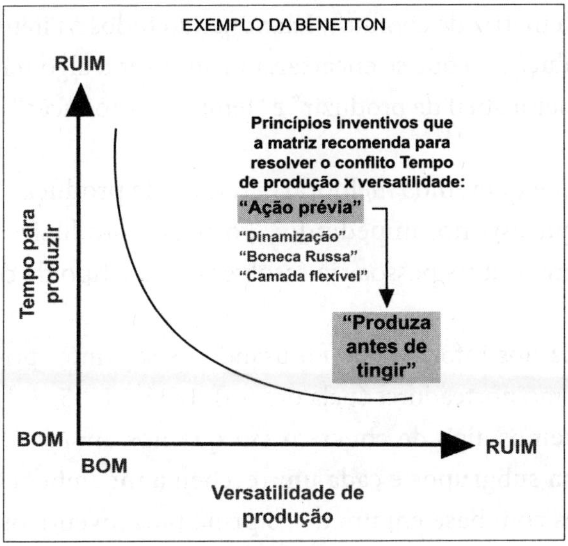

O princípio 10 é: AÇÃO PRÉVIA. Ao procurar coisas que "poderiam ser feitas antes" — o grupo chegou à solução: produza antes de tingir. Deixe tudo pronto e só coloque as cores quando ficar claro quais serão as cores da moda este ano. Elementar, né?

5.6 Quero minha cerveja

O problema a seguir existe em tudo que é relacionado a demandas sazonais: a fábrica tem um número fixo de empregados mas a demanda varia dependendo da época do ano. A empresa não contrata temporários porque aprendeu que, com eles, a qualidade sempre cai e aumenta o nível de retrabalho (custos).

Há um conflito aí: a capacidade de produção é fixa, mas a demanda é sazonal.

Os gestores da empresa sabem que o conflito está na parte "produção" da matriz, pois está relacionado a equilibrar capacidade de produção com sazonalidade da demanda.

Qual seria a melhor escolha para os dois parâmetros do par?

Vamos à matriz de conflitos. Examinando todos os itens dentro da seção "produção", o que se encaixaria melhor seria algo relacionado a "nossa maneira atual de produzir" e "tempo de produção".

- O que queremos melhorar? Tempo de produção;
- O que está nos impedindo? Forma de produzir;
- Como outras pessoas já resolveram este tipo de conflito?

A matriz nos informa que foi usando os seguintes princípios inventivos como norteadores (pela ordem): 1, 35, 21, 15, 4, 10.

Agora temos algo de concreto em que nos apoiar. O grupo foi dividido em subgrupos e cada um recebeu a incumbência de sugerir soluções com base em um dos 6 princípios inventivos sugeridos pela matriz:

Princípio inventivo número 1: SEGMENTE.

Divida o sistema em partes independentes; ou faça com que o sistema fique fácil de separar; ou aumente o grau de separação existente nos elementos do sistema.

O grupo que discutiu isso sugeriu uma força-tarefa especializada para assumir a gestão da produção a cada ano durante o período de sazonalidade.

Princípio inventivo número 35: MUDE OS PARÂMETROS DO SISTEMA.

Por exemplo, tornando partes dele menos físicas e mais virtuais, ou mudando a estrutura do sistema. O grupo que ficou com este princípio inventivo sugeriu articular uma rede de fabricantes independentes que seria treinada nos procedimentos deles, e que teria sua capacidade de produção contratada durante os três meses da sazonalidade aguda.

Princípio inventivo número 21: FAÇA MAIS RÁPIDO.

Por exemplo, experimente rapidamente várias possíveis soluções, erre rápido, para descobrir mais rápido o que funciona. O grupo sugeriu que a empresa voltasse aos trabalhadores temporários, mas que selecionasse um maior número deles de modo que pudesse substituir os de pior desempenho imediatamente por outros que, supostamente, poderiam sair-se melhor.

Princípio inventivo número 15: DINAMIZAÇÃO.

(a) Desenhe o sistema para que ele possa mudar para se adaptar às melhores condições de operação;

(b) Divida o sistema em partes capazes de se moverem relativamente umas às outras;

(c) Se o sistema é rígido ou inflexível, faça com que ele seja móvel e adaptativo. As discussões sobre este princípio estão na sequência logo abaixo.

Princípio inventivo número 4: ASSIMETRIA.

Se o sistema é simétrico faça com que ele fique assimétrico ou vice-versa. O pessoal discutiu muito a possibilidade de melhorar o grau de previsão da demanda para os três meses do ano em que ela é maior, e reforçou a necessidade de ter um outro tipo de gestão nos três meses em que ela é mais aguda (mais informação de mercado em tempo real, uso de algoritmos especializados em *forecasting* etc.)

Princípio inventivo número 10: AÇÃO PRÉVIA.

Faça a mudança que o sistema vai exigir antes que seja preciso, ou organize com antecedência os elementos que serão necessários de modo que eles estejam presentes no momento em que serão usados. Muita discussão aqui também, alguns bons *insights*, mas ainda muita confusão.

O princípio inventivo que norteou a solução escolhida foi o 15: DINAMIZAÇÃO.

Mas o que será isso?

Será que o princípio 15 (b) sugere dividir a fábrica em partes? Não tem sentido. Ou, talvez, dividir o ano em partes? Essa linha não foi adiante.

Quando se tentou "permitir que as partes se movam umas em relação às outras", veio a dúvida sobre o que significaria isso. Mover fevereiro para a posição de outubro? Ou a primavera para a posição do verão no calendário? *Nonsense*.

> *Note uma coisa importante*: os princípios inventivos não têm imaginação. É isso mesmo: são inventivos sem imaginação.
> Se você quiser pode dizer que são totalmente estúpidos, descoloridos, secos... Simplesmente apontam caminhos que outros usaram para resolver problemas parecidos e sugerem que você se movimente na mesma direção. Como em todo processo algorítimico, não têm criatividade alguma. A criatividade está nas pessoas que fazem as conexões entre as estratégias de outros e o seu problema particular.
> O método é um processo para direcionar a criatividade de grupos de pessoas para as direções onde estarão provavelmente as melhores soluções. Essa é a promessa do INNOVATRIX.

Darrell Mann, maior autoridade mundial em inovação sistemática aplicada a negócios diz:

se isso soa meio impreciso, lembre-se de que a evidência que vem de quase três milhões de soluções diz que as direções são setas que apontam caminhos para sistemas "mais ideais". Coisas boas acontecem se você se mover nessas direções.

Vamos continuar. O princípio 15 (c) diz: "se o sistema é rígido, torne-o móvel". O que é rígido em nosso sistema?

- o número de trabalhadores;
- os produtos que são fabricados;
- a capacidade de produção;
- o número de horas trabalhadas por semanas;
- o número de horas por turno de trabalho;
- o número de turnos de trabalho.

Não dá para pensar em produtos móveis ou adaptáveis, mas... talvez o número de horas trabalhadas por dia possa ser adaptado. Ou quem sabe possa haver um número variável de turnos de trabalho?

Mais uma vez: o método não diz o que é melhor ou pior (ele não sabe), apenas indica que em algum lugar o conceito de "adaptativo" vai ajudar a resolver o problema.

Nesse caso, os líderes notaram logo que a ideia de quantidade de dias de trabalho que variasse semana a semana não daria certo, pois provavelmente os dias em que os trabalhadores seriam mais solicitados seriam aqueles em que eles estariam longe, no fim da semana.

A ideia de turnos flexíveis (7 horas num dia, 8, 9 ou 6 em outros) foi que levou à solução adotada. Uma solução ganha-ganha.

Os gestores da fábrica conseguem se ajustar melhor às variações da demanda e os trabalhadores, num sistema em que a duração do dia de trabalho é variável, conseguem planejar melhor suas vidas fora do trabalho.

5.7 Tudo junto agora!

Vocês se lembram que começamos enfatizando a ideia de contradição, depois passamos a falar mais em conflitos. Para efeitos práticos, dá no mesmo.

Inovar é eliminar contradições. Gerenciar é resolver conflitos que tornam os processos da empresa ineficientes. A maneira de fazer isso é se apoiar na grande descoberta da inovação sistemática: alguém, em algum lugar, já resolveu um problema "como o seu". Eis aqui as direções que levaram às soluções. Agora, construa a sua solução particular.

Essa descoberta não é pouca coisa.

Ela muda o eixo das iniciativas em inovação e em gestão. Pare de tentar ser criativo atirando para todos os lados, atire para este lado! O alvo está por ali.

Em negócios, 31 pares de parâmetros contraditórios têm princípios norteadores catalogados. Não se conhecem mais, mas não é proibido que haja mais. Talvez apareçam outros.

Em negócios, os 40 princípios inventivos que norteiam soluções de contradições e conflitos se dividem em 4 princípios de separação bem claros:

- Separação no espaço;
- Separação no tempo;
- Separação em circunstância (JOB TO BE DONE);
- Separação via transição para um sistema alternativo ou separação das partes do todo.

Os princípios de separação são o primeiro nível em que se deve buscar soluções para os problemas de inovação empresarial — o nível mais estratégico, digamos.

Todos os exemplos que vimos se resolvem primeiro por princípios de separação assim.

Inovação sistemática é uma prática e uma filosofia — uma forma de pensar. Não é um roteiro cego para "resolver problemas". É um passo a passo para a criatividade prática.
Seus pontos de partida são fatos:

Há muita, muita, muita repetição nas maneiras pelas quais as pessoas resolvem problemas. Tenta-se reinventar a roda todo dia.
Os mesmos problemas fundamentais foram resolvidos por invenções em áreas diferentes do conhecimento e prática humanas.
As mesmas soluções fundamentais aparecem em setores diferentes da atividade humana; muitas vezes com muitos anos de diferença de uma manifestação para outra.
Não há nada de randômico ou arbitrário em inovação. Inovação pode ser capturada em um pequeno conjunto de parâmetros, princípio e padrões.

— 31 parâmetros cujos conflitos caracterizam os problemas de inovação empresarial;
— 40 princípios inventivos que norteiam as soluções das contradições e conflitos que caracterizam todo tipo de inovação. Das mais operacionais às mais estratégicas;
— Vários padrões de evolução que nos permitem prever a direção em que sistemas tecnológicos e empresariais vão evoluir (cerca de 35 *Trends of Evolution* foram identificados até hoje);
— Uma lei:
"Os sistemas evoluem em direção a um *estado final ideal* cujas características podem ser visualizadas e, portanto, podem servir de guia para as soluções de problemas de inovação de hoje."

Este livro não pretende ser um tratado rigoroso.

Não deixamos de tocar (ainda que por vezes só de leve) em nenhuma das ideias centrais da inovação sistemática, mas resolvemos nos fixar num fato: qualquer empresa pode inovar usando seu principal recurso — suas próprias pessoas.

INNOVATRIX é método e ferramentas para isso.

Se você não pode colocar caramelo quente dentro de uma casca de chocolate para fazer um bombom (o caramelo derrete o chocolate), por que você não inverte isso? Coloque caramelo frio no chocolate quente e resfrie ambos. *The other way around.* Faça o contrário.

Algumas pessoas enxergam soluções sem método, mas a maioria não enxerga. Com método, qualquer pessoa enxerga.

A inovação sistemática — a TRIZ clássica — força um tipo de exercício para fazer as pessoas "pensarem fora da caixa" que não tem nada a ver com exortação ou o famoso "olhar penetrante e límpido".

Imagine, por exemplo, que numa linha fabril em que caixas vazias são enchidas por sabão em pó, volta e meia uma ou outra caixa deixa de ser enchida.

A solução imediata para identificar a caixa vazia ocasional seria instalar um sistema de raios X para inspecionar as caixas, e algum tipo de braço mecânico para remover as vazias. Mas a TRIZ perguntaria: "como posso fazer uma caixa vazia identificar a si mesma?" (princípios inventivos: TRANSFORME UM NEGATIVO EM POSITIVO e SELF-SERVICE — faça uma parte do sistema trabalhar para aperfeiçoar o sistema).

Mais ainda: como posso resolver esse problema usando recursos que já existem no sistema, sem trazer recursos de fora?

A solução: um ventilador foi colocado próximo à esteira onde as caixas se movimentavam e as caixas vazias "removiam-se a si mesmas" usando não apenas os recursos existentes, mas também tirando partido de um aspecto negativo da situação: o fato de algumas caixas estarem vazias.

Alguém poderia ter pensado em usar o próprio iceberg em que o Titanic bateu como plataforma para salvar os náufragos. Usar um recurso "ruim" que já estava no sistema. Transformar fraqueza em força.

Princípios inventivos como norteadores de soluções.

O Prius, carro híbrido da Toyota, transforma energia mecânica em energia para recarregar as baterias quando o carro freia. Alguma semelhança com caixas de sabão em pó vazias?

Toda a semelhança do mundo via o princípio inventivo "use o que já está no sistema para fazer o sistema chegar mais perto da idealidade".

Tendências de evolução e *busca da idealidade* ajudam muito a se chegar aos princípios inventivos que nortearão a solução de um problema.

Há outras ferramentas que o INNOVATRIX incorporou à TRIZ original.

Veja uma: quando um sistema fica maduro (vai para o topo da curva S), as empresas que um dia ganharam dinheiro integrando todos os elos da cadeia de valor (produção, venda, entrega e suporte) vão perder dinheiro para novas empresas que se dediquem a apenas um dos elos da cadeia.

Dito de outra forma: quando se identifica um JOB novo, as empresas que constroem arquiteturas completas para produzir, vender e dar suporte se dão bem, até que o sistema fique padronizado. Lembre-se do que aconteceu com a IBM quando dominava o mercado de grandes computadores *mainframe*. Havia um JOB ("preciso de computação maciça"). Para realizá-lo era preciso integrar numa grande máquina todos os componentes do sistema necessário a realizar esse JOB. As unidades de memória, as centrais de processamento, armazenamento etc. tudo tinha de ser IBM para que a IBM pudesse garantir a máquina que realizaria o JOB. A IBM chegou a ter 95% de todo o lucro gerado em computadores *mainframe*.

Por quê? Porque ela dominava toda a arquitetura que garantia o JOB.

Quando o PC surgiu, no início foi o mesmo, mas o produto amadureceu rapidamente e as interfaces entre os componentes ficaram padronizadas. Você pode montar um PC sem fabricar um único componente do PC (DELL). O dinheiro migrou de quem dominava a arquitetura para quem fazia componentes críticos para a performance como o microchip (Intel) ou o sistema (Windows).

Quando não há mais interfaces interdependentes de forma imprevisível, todos os componentes ficam padronizados — é fácil encaixá-los um no outro. Quem ganha o dinheiro atraente, então, é quem fornece os módulos mais críticos para a performance (Intel/Microsoft), não quem controla a arquitetura do sistema todo (este foi o erro da Apple em computadores pessoais. Tentou manter tudo sob seu controle quando o sistema já estava modularizado. Perdeu para os PCs Windows-Intel).

Em casos como os acima, há princípios de separação no espaço e no tempo que levam às soluções.

Isso que ocorreu com PCs ocorreu com a Casas Bahia — o sistema para realizar o JOB "sou pobre, mas quero me sentir rico" acabou se modularizando, pois muitos competidores passaram a fazer o que a CB faz — dar crédito para pessoas que não podem dar garantias. Não era mais necessário manter todos os elos da cadeia amarrados numa mesma arquitetura proprietária, pois isso aumentava os custos. Isso vai ocorrer em saúde também.

A prestação de serviços médicos vai sair do hospital geral — monolítico — e vai para unidades especializadas em vários tipos de condições de saúde associadas aos três JOBs que existem nessa área.

Prevemos que em educação ocorrerá o mesmo.

Quando a tecnologia do ensino à distância amadurecer, vai haver uma explosão de ofertas que vão se adequar aos JOBs de cada aluno em sua própria condição individual de aprendizagem.

Será separação em JOB TO BE DONE — as pessoas aprendem de formas diferentes, portanto, as maneiras de se ensinar têm de ser diferentes para cada uma. Plataformas de ensino na web vão se adequar a necessidades individuais. Esta será outra maneira de eliminar o conflito riqueza X alcance, que vimos no capítulo 4.

O princípio inventivo 35 — MUDE OS PARÂMETROS DO SISTEMA (torne virtual o que antes era físico) — é uma das rotas de solução mais óbvias para problemas de inovação, hoje.

Nós achamos que é uma rota tão óbvia que dificilmente qualquer problema de inovação será resolvido pela aplicação só desse princípio. Foi a euforia com ele que fez todo mundo correr para adotá-lo e ele se "commoditizou" (daí a quebradeira das empresas pontocom no final dos anos 90).

Altshuller detectou o princípio, mas não podia ter ideia de como a tecnologia da web iria banalizá-lo. Ele morreu em 1998, ano em que o Google foi criado.

Padrões de evolução nos permitem saber onde estamos na "curva S" e o que vai dar dinheiro em seguida. Esse é o tipo de informação que usamos para orientar grupos de pessoas de empresas que querem inovar com o INNOVATRIX.

O varejo caminha para sair de "produtos" e entrar em "espaços de varejo" em que se aprimora a "experiência de compra". Troque o *hard* pelo *soft*.

A indústria farmacêutica vai se separar em ofertas para diagnóstico e terapêutica.

Hospitais e clínicas focados e destinados a realizar JOBs específicos em saúde — vão desconstruir os mamutes de hoje. Já há sinais disso em toda parte. Essas são as melhores rotas para o empreendedorismo na área da saúde.

A educação, em 15 anos, estará completamente modularizada, com ofertas customizadas que vão substituir em grande parte as existentes — monolíticas, centralizadas em escolas.

Inovação sistemática prevê o futuro.

O INNOVATRIX — incorporando várias ferramentas e abordagens novas ao repertório da TRIZ clássica — mantém um banco de dados constantemente em atualização (nós o atualizamos diariamente). Nossas fontes são os livros, artigos e notícias do mundo de negócios. Vivemos catalogando contradições e conflitos e exercitando rotas de solução via princípios inventivos.

É o banco de dados sobre inovação que valida nossa abordagem.

Todo dia nos jornais há notícias que reforçam o que o INNOVATRIX faz.

Só para não deixar de citar: no Brasil, em 2009, houve uma polêmica entre o governo federal e a direção da Vale do Rio Doce. O governo cobrava da Vale que produzisse e exportasse não só minérios, mas produtos acabados com maior valor agregado. A Vale respondia que se fizesse isso passaria a concorrer com seus atuais clientes. Se você fizer o exercício que descrevemos, vai ver que esse tipo de problema já foi resolvido por outros e o que norteou a solução foi: SEPARE NO ESPAÇO — SEPARE A PARTE DO TODO.

Isso sinaliza que a Vale poderia romper o conflito buscando nichos geográficos (separação no espaço) e de aplicações específicas (separação em JOB TO BE DONE) em que não atua hoje.

Exatamente o que a SouthWest fez com aviação.

Vá para onde os outros não estão e crie novos modelos de negócio para realizar JOBs que ninguém está realizando. Foi isso que a NUCOR fez. Foi isso que a IBM fez sob Lou Gerstner. Isso é um padrão de evolução. Se tivessem nos perguntado, teríamos dito.

O segredo é alimentar permanentemente o banco de dados com as soluções que vão surgindo todo dia pelo mundo afora.

Não há mistério no que a inovação sistemática faz. TRIZ não é proprietário. As bases de dados estão disponíveis. A análise sistemática de quase três milhões de soluções inventivas de sucesso em todas as áreas do empreendimento humano — das ciências às artes, política, engenharia e aos negócios — levou os pesquisadores a 40 estratégias inovadoras que norteiam as soluções em qualquer caso.

Outra contribuição original do INNOVATRIX é a ênfase em modelo de negócio.

Por exigir o uso de RECURSOS e PROCESSOS para a formulação da solução inovadora, a noção de modelo de negócio abraça duas ideias centrais da TRIZ clássica. Mas é o INNOVATRIX que unifica RECURSOS, PROCESSOS e FÓRMULA DE LUCRO numa ideia única, amarrada por um JOB TO BE DONE, sem o qual nada faz sentido.

Nossa abordagem está em sintonia com o espírito do tempo.

Como o Google mostra, o "muito" indica caminhos que são impossíveis de vislumbrar por meio do "pouco". "Mais" é DIFERENTE: indica as rotas de solução gerais para problemas particulares. Não existem problemas únicos.

A sacada notável da inovação sistemática em negócios foi descobrir que os mesmos princípios inventivos valem em todas as áreas.

O mundo dos negócios não é um mundo à parte.

Algoritmos e regras estatísticas estão passando a perna em especialistas em vários campos. Se você preza seu saber, cuidado! Pode haver um algoritmo à sua espreita.

Experts em prever a qualidade de safras de vinho têm sido derrotados por algoritmos. Produtores de cinema têm levado surras ao estimar a bilheteria de novos lançamentos (e já consultam uma empresa chamada Epagogix.com para mudar roteiros e prever receitas).

Técnicos avaliam jogadores sem nunca os terem visto jogar.

Cassinos preveem direitinho quanto dinheiro podem tirar de certo cliente antes que ele pare de jogar. Está ficando forte demais para ser ignorado.

O nome da coisa é "decisão com base em evidência". INNOVATRIX bem que poderia se chamar "inovação com base em evidência" — é a mesmíssima ideia.

A capacidade de fazer experimentos processando informações sobre o comportamento real dos consumidores fez do Google uma agência de propaganda "matemática". É isso o que ele é.

O que dizer num anúncio de cerveja — "Melhor sabor" ou "Menos ressaca"? Teste os dois no Google. O sistema alterna os anúncios e seleciona (automaticamente) aquele em que o pessoal clica mais. Chega daquelas teorias malucas sobre o "percurso do olhar" de uma pessoa observando um anúncio impresso ("primeiro ela olha para o canto superior direito, depois desce em diagonal..."). Eu, hein! Não é melhor ficar com o que funciona?

Os médicos vão espernear, mas terão de encarar: algoritmos podem descobrir as rotas de solução para certas condições de saúde melhor do que eles.

Medicina baseada em evidência. É só haver um banco de dados (com muitos dados) para que o algoritmo descubra padrões que especialista algum consegue.

O que funcionaria melhor: um programa tipo "bolsa família" que embutisse, de início, algumas exigências (contrapartidas), ou simples distribuição de dinheiro? O programa PROGRESA /Oportunidades no México foi testado em 506 aldeias selecionadas aleatoriamente com e sem contrapartidas. Os resultados foram tão convincentes que o programa com contrapartidas foi estendido para todo o país. Política pública baseada em evidência.

Profissões baseadas em opinião de especialistas tendem a desaparecer. Lembra do avaliador de empréstimo bancário? Um dia ele já foi bem pago. Sumiu. Foi substituído por operadores de *call center* que repetem roteiros sugeridos por computador.

Estamos obtendo resultados sem teoria.

Ciência tradicional é coletar observações (dados) sobre eventos, construir uma teoria a partir dos dados, e usá-la para prever eventos ainda não observados.

Ocorre que, quando se tem muitos (muitos, muitos) dados, você pode pular a etapa "teoria" e prever direto o resultado. Como o Google faz.

Exemplo: quando você erra na digitação de uma palavra, o Google sugere a grafia correta. Como faz isso sem uma gramática embutida? Ele registra que quando alguém tecla uma palavra X e ele pergunta — "você não estava querendo teclar Y?" — muita gente diz que sim. O mecanismo é baseado no registro de todos os X e Y. É assim também que traduz qualquer língua para qualquer outra. Seu banco de dados, alimentado por versões dos mesmos documentos em várias línguas, produz, na força bruta, uma correspondência entre arquiteturas de gramáticas numa e noutra.

Quando traduz, ele varre zilhões de trechos dessas arquiteturas que, agregados, fazem o link "disso" para "aquilo", de uma língua para outra. Ninguém do Google que trabalhou na construção do tradutor do chinês para o inglês sabia chinês. Só havia dados. *Pentabytes* de dados, como eles dizem. Para que teoria se você tem dados? Comportamento humano, por exemplo. Para que ficar perguntando por que as pessoas fazem o que fazem? O fato é que fazem, e é possível prever o que farão sem teoria.

Algoritmos acham padrões onde a ciência não consegue. Mas, se essa computação "pentabyteana" pode substituir a teoria, será que bancos de computadores interligados (como neurônios num supercérebro) não poderiam produzir um tipo de "supermente"?

A metáfora do computador Hal, no filme *2001 — Uma odisseia no espaço* (de 1966), pode tornar-se real?

Hal sequestrara o comando da nave, como os computadores do Google parecem fazer com nossas mentes. O astronauta Dave tenta desligar seus circuitos para recuperar o comando. Hal implora: "Dave, estou com medo. Por favor, não me desligue, minha mente está indo embora." Se tentarmos nos desligar dos superprocessadores do Google, será que eles reagirão? Que tipo de mente restará em nós, já que a anterior foi desprogramada? Nicholas Carr, um fino comentarista das coisas da era digital, diz:

O filme profetiza que, à medida que dependemos mais de computadores para mediar nossa compreensão do mundo, nossa inteligência vai se achatando.

O filme termina com um Dave infantil, dentro de uma bolha, em posição fetal, flutuando no espaço e observando a Terra de longe.

Nós discordamos de Nicholas Carr.

Achamos que, à medida que se exercita mais a criatividade prática, mais criativos nos tornamos.

Se aplicasse os métodos do INNOVATRIX, Dave teria rompido o conflito que acabou aprisionando-o na bolha.

ANEXO

Princípios Inventivos	A	B	C	D
1	Segmentação	Divida um sistema ou objeto em partes independentes.	Faça um sistema ou objeto fáceis de desmontar.	Aumente o grau de fragmentação ou segmentação.
2	Separação	Separe de um sistema ou objeto a parte ou propriedade que estejam interferindo. Ou então deixe somente a parte ou propriedade necessária.		
3	Qualidade localizada	Mude a estrutura de um objeto ou sistema de uniforme para não uniforme, mude um ambiente externo (ou influência externa) de uniforme para não uniforme.	Faça cada parte de um sistema ou objeto funcionar nas melhores condições possíveis.	Faça cada parte do objeto, ou sistema, realizar uma função diferente.
4	Assimetria	Mude o formato de um objeto ou sistema de simétrico para assimétrico.	Se um objeto ou sistema é assimétrico, mude seu grau de assimetria.	
5	Fusão, união ou mistura	Aproxime (ou funda) sistemas ou objetos idênticos ou semelhantes. Reúna peças idênticas ou similares para executar operações paralelas.	Faça operações serem paralelas ou contínuas; execute-as ao mesmo tempo.	
6	Universalidade	Faça com que um objeto ou sistema ou estrutura execute múltiplas funções; elimine a necessidade de outros componentes.		
7	Aninhamento ("Boneca Russa")	Coloque um objeto ou sistema dentro de outro no mesmo espaço; faça com que vários objetos ou sistemas se tornem uma estrutura única.	Faça alguma coisa passar por dentro de outra.	

8	Contrapeso (contrabalançar)	Para compensar a tendência de um sistema ou objeto em desviar de um caminho estabelecido, funda-o com outros sistemas ou objetos tal que surja um efeito de estabilização.	Para compensar a tendência de um sistema ou objeto em desviar de um caminho estabelecido, faça com que ele interaja com fenômenos em escala macro/globais.	
9	Compensação prévia	Se for necessário fazer uma ação que ocasione efeitos úteis e efeitos nocivos no sistema ou objeto, esta ação deve ser substituída por ações contrárias que controlem os efeitos danosos antecipadamente.	Introduza antecipadamente estresse em um objeto ou sistema tal que ele compense estresses futuros.	
10	Ação prévia	Realize a mudança necessária (completa ou parcialmente), em um sistema ou objeto, antes dela ser necessária.	Antecipe a organização de objetos em lugares estratégicos, de modo que possam ser utilizados de forma imediata.	
11	Amortecimento ou proteção prévia	Prepare antecipadamente medidas que possam compensar possíveis ações não confiáveis do objeto ou sistema.		
12	Remova a tensão	Onde existirem tensões negativas, crie condições para compensá-las, reduzi-las ou eliminá-las.		
13	Inversão, fazer ao contrário	Inverta a ação usada para resolver um problema.	Faça com que as partes móveis (ou o ambiente externo) fiquem paradas. Faça com que partes fixas se movam.	Coloque o sistema, objeto ou processo de "cabeça para baixo".
14	Curvatura	Transforme coisas lisas (ou retas) em coisas curvas.	Vá de movimentos lineares para movimentos circulares ou rotatórios.	
15	Dinamização	Permita que as características de um objeto ou sistema mudem para se tornarem ótimas ou que possam encontrar sua condição ótima de funcionamento.	Divida um sistema ou objeto em partes capazes de se movimentarem entre si.	Se um objeto ou sistema for rígido ou inflexível, torne-o móvel ou adaptável.

16	Ação parcial ou excessiva - um pouco menos ou um pouco mais	Se for impossível alcançar 100% do efeito desejado, alcance o máximo (ou o mínimo) que for possível.		
17	Outras dimensões	Se um sistema ou objeto usa uma ou duas dimensões apenas, faça-o usar outras.	Use um arranjo com multiestruturas em vez de arranjos monoestruturados.	Incline, reoriente ou tombe o sistema ou objeto.
18	Ressonância	Encontre e use a "frequência ressonante" de um objeto, sistema ou processo.		
19	Ação periódica	Substitua ações contínuas por ações periódicas ou descontínuas.	Se uma ação já periódica, mude a magnitude da periodicidade ou frequência.	Use pausas entre os períodos para realizar ações diferentes.
20	Continuidade de uma ação útil	Faça com que partes de um sistema ou objeto trabalhem continuamente nas suas condições ótimas.	Elimine a ociosidade ou ações intermitentes na realização de atividades.	
21	Faça mais rápido / corra	Conduza o processo, ou partes dele, em altíssima velocidade.		
22	Transformar prejuízo em lucro - transformar limões em limonada	Use aspectos, características ou situações negativas para obter resultados positivos.	Elimine as ações negativas primárias adicionando mais ações negativas para resolver o problema.	Aumente os fatores negativos até um ponto onde ele deixe de ser negativo.
23	Feedback	Introduza feedback (serviços de envios, recebimentos, verificações) para melhorar um processo ou ação.	Se o feedback já é usado, mude a sua magnitude e/ou influência.	
24	Mediação	Use um agente ou processo intermediário.	Junte um objeto ou sistema temporariamente com outro (que possa ser facilmente removido).	
25	Autosserviço	Faça com que um objeto ou sistema opere de forma independente executando funções para si mesmo.	Use recursos, energia ou substâncias desperdiçados (ou perdidas).	

26	Cópia	Substitua objetos ou sistemas caros, indisponíveis ou frágeis por outros objetos ou sistemas mais baratos, disponíveis ou resistentes.	Substitua um objeto, sistema ou processo com cópias ópticas ou virtuais.	Se uma cópia já está em uso, mude a forma como é vista (iluminação, perspectiva, etc.)
27	Uso de objetos descartáveis	Substitua um objeto ou sistema caro (difícil) por um conjunto de componentes baratos que interfiram apenas em características menos importantes (como a vida útil, por exemplo).		
28	Outro sentido	Substitua ou melhore a forma como um sentido é utilizado (visão, olfato, paladar, audição).		
29	Fluidez	Transforme coisas rígidas em coisas "fluidas".		
30	Fino e flexível	Use estruturas finas e flexíveis no lugar de grossas e rígidas.	Isole o objeto do ambiente externo usando estruturas finas e flexíveis.	
31	Buracos	Adicione buracos (ou saídas) em um objeto ou sistema.	Utilize as saídas (escapes) presentes no objeto ou sistema para introduzir nele substâncias ou funções.	
32	Mudança de cor	Modifique a cor de um objeto ou seu ambiente externo.	Altere a transparência de um objeto ou sistema ou ambiente externo.	
33	Homogeneidade	Faça sistemas ou objetos interagirem com outros de forma ou propriedades similares.		
34	Descarte e recuperação	Faça com que partes de um sistema ou objeto que já executaram suas funções sejam descartadas. Ou então, mude suas funções durante a operação.	Coloque em operação partes de um sistema ou objeto que tenham sido descartados.	

35	Mudança de parâmetros	Altere o estado físico de um objeto ou sistema (de físico para virtual).	Altere a concentração ou consistência.	Altere o grau de flexibilidade ou a temperatura.
36	Mudança de paradigma	Use fenômenos que ocorram durante transições ou mudanças.		
37	Mudança relativa	Use as diferenças relativas que existem em um objeto ou sistema para fazer com que alguma coisa seja utilizada.	Faça com que partes diferentes de um sistema reajam diferentemente em resposta a mudanças.	
38	Atmosfera enriquecida	Substitua uma atmosfera normal por uma enriquecida.	Exponha uma atmosfera altamente enriquecida com outra contendo elementos potencialmente instáveis.	
39	Atmosfera calma	Substitua um ambiente normal por outro inerte.	Adicione partes ou elementos neutros em um sistema ou objeto.	
40	Estruturas compostas	Mude estruturas uniformes para compostas (múltiplas). Faça uso da combinação de diferentes capacidades e habilidades.		

AGRADECIMENTOS

Agradeço ao Clemente pelo convite e incentivo para escrevermos o nosso primeiro livro juntos. Também agradeço a todos os familiares, irmãos, amigos, professores, colegas e clientes que sempre me incentivaram a trilhar o caminho do conhecimento, empreendedorismo e inovação. Em especial: Thadeu Penna, Patricia Beyrodt, Jane Ricci Noronha e Silvano Lago.

Adriano

Agradeço à Ediouro e, em especial, à editora Helena Caroni e à produtora editorial Janaína Senna pelo carinho e profissionalismo.

Clemente

Este livro foi composto em Minion Pro 11/15.5
e impresso pela Ediouro Gráfica sobre
papel offset 75g para a Agir em maio de 2010.